SEGREDOS DO
IMPÉRIO INCA

Camelot
EDITORA

CONHEÇA NOSSO LIVROS
ACESSANDO AQUI!

Copyright © 2016 Felipe Boschetti
Direitos reservados e protegidos pela lei 9.610 de 19.2.1998.
Nenhuma parte deste livro pode ser reproduzida, arquivada em sistema de busca ou transmitida por qualquer meio, seja ele eletrônico, xérox, gravação ou outros, sem prévia autorização do detentor dos direitos, e não pode circular encadernada ou encapada de maneira distinta daquela em que foi publicada, ou sem que as mesmas condições sejam impostas aos compradores subsequentes.
2ª Impressão 2024

Presidente: Paulo Roberto Houch
MTB 0083982/SP

Coordenação Editorial: Priscilla Sipans
Coordenação de Arte: Rubens Martim (capa)
Edição: Ana Vasconcelos (ECO Editorial)
Diagramação: Patrícia Andrioli
Imagens: Shutterstock

Foi feito o depósito legal.
Impresso na China

Dados Internacionais de Catalogação na Publicação (CIP)
de acordo com ISBD

B742s   Boschetti, Felipe

Os Segredos da Civilização Inca / Felipe Boschetti. - Barueri : Camelot Editora, 2022.
144 p. ; 15,5cm x 23cm.

ISBN: 978-65-80921-37-9

1. História. 2. Incas. I. Título.

2022-2763   CDD 985
                                             CDU 94(85)

Elaborado por Vagner Rodolfo da Silva - CRB-8/9410

Direitos reservados ao
IBC – Instituto Brasileiro de Cultura LTDA
CNPJ 04.207.648/0001-94
Avenida Juruá, 762 – Alphaville Industrial
CEP. 06455-010 – Barueri/SP
Vendas: Tel.: (11) 3393-7727 (comercial2@editoraonline.com.br)
www.editoraonline.com.br

SUMÁRIO

Apresentação 5

CAPÍTULO 1 - A civilização inca..7

CAPÍTULO 2 - A sociedade inca...29

CAPÍTULO 3 - A política inca...42

CAPÍTULO 4 - Os condutores da civilização......................49

CAPÍTULO 5 - A economia pulsante...................................69

CAPÍTULO 6 - Atividades sociais 79

CAPÍTULO 7 - Leis e exércitos...83

CAPÍTULO 8 - A natureza provedora..................................95

CAPÍTULO 9 - Da matemática à astronomia......................99

CAPÍTULO 10 - A riqueza da cultura inca.........................104

CAPÍTULO 11 - A arquitetura e sua função na sociedade inca...114

CAPÍTULO 12 - Os deuses e os elementos da natureza............117

CAPÍTULO 13 - Os rituais e a vida após a morte 121

CAPÍTULO 14 - A chegada dos espanhóis.......................134

CAPÍTULO 15 - Revisitando o passado............................138

Viracocha: deus da mitologia inca

APRESENTAÇÃO

No século XVI, os espanhóis se depararam com uma das maiores civilizações do planeta: os incas. Este, que foi um dos mais vastos impérios das Américas, ocupou terras que hoje pertencem ao Chile, Argentina, Colômbia, Peru e Equador.

Os costumes e a cultura inca atravessaram fronteiras. Até em praias brasileiras foram encontrados utensílios domésticos feitos de cobre e adornados em ouro, de origem inca, possivelmente obtidos por escambo entre as tribos indígenas da floresta Amazônica.

A origem do povo inca, suas lendas fascinantes, as divisões da sociedade dentro do império, a política, os imperadores, a produção de alimentos, as práticas no comércio, a arte, a arquitetura, os mistérios e o legado desta fascinante civilização você encontra nas próximas páginas.

Machu Picchu, cidade inca

1
A CIVILIZAÇÃO INCA
A FUNDAÇÃO DA CIVILIZAÇÃO E O PASSADO GLORIOSO

"Em toda a América do Sul, vivendo ainda na Idade da Pedra, somente a Terra do Fogo escapava ao fascínio de sua magnificência, que deveria dar origem ao mito do Eldorado quando os espanhóis, por sua vez, foram por ela atraídos." Henri Favre, pesquisador pelo Centre Nationale de la Recherche Scientifique (CNRS).

Por volta do século XVI os espanhóis, em sua contínua busca por novas terras e riquezas, se depararam com uma das maiores civilizações do planeta: os incas. O ano era 1532 e o território explorado corresponde hoje ao Peru.

O povo inca possuiu um dos mais vastos impérios que existiram nas Américas, e foi responsável pela administração de terras que, hoje, pertencem a pelo menos cinco países: Chile, Argentina, Colômbia, Peru e Equador.

Sua influência e expansão foram tamanhas que, devido ao escambo e à livre troca de mercadorias, utensílios domésticos de origem inca foram encontrados em praias brasileiras. Arqueólogos e historiadores acreditam que esses objetos tenham chegado ao Brasil por meio das tribos indígenas na floresta amazônica.

Esses utensílios eram feitos de cobre e ornados com ouro, o que possibilitou ao mundo moderno vislumbrar algumas das técnicas de metalurgia que o próprio povo dos Andes desenvolveu em toda sua história.

A origem dos incas, no entanto, é incerta e não deixou muitos vestígios pelo mundo. A maioria das datas descritas em registros arqueológicos não são precisas, e a escassez de registros do próprio povo não ajudou a identificar suas origens.

"Os incas, no entanto, tiveram origens obscuras e um difícil começo na região onde, por longo tempo, desempenharam a figura de intrusos", afirma o pesquisador e professor pelo Instituto de Altos Estudos sobre a América Latina, departamento dentro da Universidade de Paris, Henri Favre, em sua obra *A civilização inca*.

Essa figura de intrusos, a que o pesquisador se refere, é sustentada por conta da região dos Andes ser ocupada por povos a pelo menos quatro milênios antes de os incas se estabelecerem por ali. Entender esses povos é fundamental, uma vez que são os precursores da civilização inca e seus antepassados.

OS ANTEPASSADOS E CONCORRENTES DOS INCAS

A complexidade dos povos andinos é colocada à prova através de mais de 10 mil anos de história. Povos nômades caminhavam pelas terras que um dia pertenceriam ao império inca em busca de melhores condições de vida e um local que pudesse suprir suas necessidades básicas.

A CIVILIZAÇÃO CHAVÍN

Esses grupos nômades percorriam a região da costa central do Peru há mais de 14 mil anos em busca de frutas, raízes, cascas e animais para a caça. Arqueólogos posteriormente descobriram registros dessa civilização em algumas armas de mão, construídas de forma rudimentar com materiais simples.

Esses povos que peregrinaram ali fundamentaram suas bases sociais em pequenos vilarejos e povoados, visto o tamanho potencial que a agricultura e as terras da região poderiam ter. Essa agricultura mudou o modo como os nômades viviam e estabeleceu a base das sociedades pré-incaicas.

Esses grupos sociais, com o passar dos anos, foram crescendo tanto em número de habitantes quanto em dimensão territorial. Alguns povoados podiam conter até mil habitantes e eram formados em volta de templos, pirâmides e centros cerimoniais.

A civilização Chavín foi uma das mais importantes do período pré-incaico e se localizava a mil quilômetros ao norte do lago Titicaca, e a 3 mil metros de altitude no meio dos Andes peruanos, e nasceu através de todos esses povoados da região.

Sua existência foi comprovada e estudada ao longo dos anos graças ao seu estilo cultural e artístico. Peças de cerâmica em pedra e argila, além de construções e do próprio ouro, possibilitaram a identificação da figura singular de um jaguar ou puma, tido por esse povo como um deus.

Muitas das técnicas de cerâmica, modelagem e metalurgia foram transmitidas ao longo dos anos, para esse povo e seus domínios, que podiam se estender pela região dos Andes inteira.

Segundo os pesquisadores Richard L. Burger, da Universidade de Yale, e Nikolaas J. Van der Merwe, da Universidade de Harvard, no artigo *Maize and the origin of highland Chavin civilization: an isotopic perspective*, a civilização pode ser considerada, além de antepassada dos incas, uma das maiores que já existiu nas Américas.

O declínio da civilização Chavín é creditado a revoltas e à desordem social instauradas entre 500 e 300 a.C. Hoje, a região ocupada por essa civilização recebe o nome de Chavín de Huántar graças ao sítio arqueológico de mesmo nome que está localizado a 300 quilômetros ao norte de Lima.

OS ESTADOS DE TIAHUANACO E HUARI

Outras duas grandes civilizações que viveram no período pré-incaico foram os Tiahuanaco e os Huari. Sua história se desenvolve dos séculos I ao VIII d.C. Nessas civilizações, chefes de estado substituíram os deveres dos sacerdotes, característica dos Chavín, na organização e administração do trabalho.

Junto com essas civilizações, os Mochicas se assentaram no litoral norte do continente enquanto o povo Paracas-Nazca se situava na costa sul. O mesmo vale para os Tiahuanaco e os Huari, que estavam localizados nos planaltos meridionais, nas proximidades do lago Titicaca.

Esses dois povos desenvolveram uma arquitetura de porte monumental, além de sua produção artesanal e agrícola. Esse fato, somado à boa localização de suas cidades principais, que levavam o mesmo nome do povo, fizeram com que Tiahuanaco e Huari pudessem unificar sob suas asas as diversas populações rurais que viviam em território andino.

TIAHUANACO

A civilização Tiahuanaco surgiu em 200 d.C., situada nas dependências do lago Titicaca, exerceu grande influência sobre as diversas tribos que viviam na região e possuía um total de 30 a 70 mil habitantes.

Essa civilização iria se tornar uma das maiores e mais importantes de todas as culturas andinas. A arquitetura, a escultura, as estradas e a gestão do império de Tiahuanaco exerceriam posteriormente uma influência significativa na civilização inca.

A partir do século VIII d.C., Tiahuanaco se expandiu para o sul e percorreu um território que ia dos planaltos bolivianos e da parte meridional do Peru, até o norte do Chile. Suas construções são memoráveis e entre as mais famosas estão a porta do sol e as construções administrativas formadas por blocos de mais de dez toneladas.

Esses edifícios administrativos formavam o ponto central para a construção de residências e outras aglomerações urbanas. Esse, aliás, foi um dos pontos-chave para a unificação do fragmentado mundo andino deixado pela dissolução da civilização Chavín.

A VIDA A CÉU ABERTO

Na mitologia do povo de Tiahuanaco, o lago Titicaca representava o centro do mundo e duas ilhas que se localizavam no centro dele foram transformadas no Sol e na Lua. Acreditava-se também que o lago fora o local onde a primeira raça de gigantes de pedra foi produzida e posteriormente o berço da raça humana.

Muitos dos monumentos que se encontram a céu aberto nas proximidades do lago sugerem que teriam sido construídos e fixados de acordo com o nascer do sol ou com o sol do meio-dia. No entanto, a movimentação desses monumentos ao longo dos séculos pelos povos que viveram ali torna extremamente difícil saber sua posição original.

Porém, a arquitetura e o sistema de transporte de água e irrigação, que mais tarde influenciou os incas, já traziam técnicas avançadas de construção, apesar do uso de materiais simples. A irrigação era fornecida para as culturas através de canais, aquedutos e diques que transportavam a água do lago.

Tais medidas permitiram o sucesso da produção agrícola, especialmente de batatas, e o sustento do crescimento populacional, de modo que, em seu auge, a cidade cobria uma área de até dez quilômetros quadrados.

AS PRAÇAS RELIGIOSAS E AS CONSTRUÇÕES RESIDENCIAIS

Uma das características das construções em Tiahuanaco eram os espaços abertos, largos e sem vegetação alta, que serviam para a realização de cerimônias e atividades religiosas em meio às suntuosas construções que um dia seriam admiradas e utilizadas como inspiração pelos incas.

O templo de Akapana possui uma área na qual alguns historiadores acreditam que eram realizados rituais xamânicos, uma vez que a tumba de um alto sacerdote, enterrado junto a um defumador de incensos, foi encontrada lá.

Paredes e pedras das construções estavam pintadas com iconografias de homens com cabeça de puma, o que sustenta a crença dos arqueólogos e estudiosos sobre a realização desses rituais.

No entanto, o que mais foi deixado pela civilização foram evidências das construções residenciais. Humildes, as casas do povo Tiahuanaco eram feitas de tijolos de barro e construídas em cima de paralelepípedos.

As construções das famílias de elite eram feitas de forma mais fina, com altos muros que davam para o pátio central da cidade, e blocos de pedra finamente cortados.

A ESCULTURA, A CERÂMICA E A PRODUÇÃO TÊXTIL

Existem diversos exemplos de grandes esculturas em pedra talhadas pelos cidadãos de Tiahuanaco. Essas esculturas podem representar tanto os gigantes de pedra da mitologia desse povo, quanto ex-governantes imortalizados, além de sacerdotes.

Algumas dessas esculturas possuem pinos de ouro incrustados em suas extremidades, o que sugere a sustentação de vestimentas e panos que protegiam essas esculturas. Rastros de tinta também foram encontrados na análise dessas pedras, o que indica que em outros tempos elas eram coloridas e decoradas.

Outras esculturas representariam guerreiros, que possuíam a cabeça de um puma e que em uma mão carregavam uma faca e em outra, uma cabeça humana decepada. Crânios descobertos próximos a essas esculturas sugerem um culto a um deus que exigiria um ritual de decapitação.

Achados em cerâmica remontam a copos, taças e jarros, todos feitos com um design antropomórfico e pintados em suas bases com uma tintura de cor alaranjada, característica da cerâmica deste povo.

Entre as representações feitas nessas cerâmicas, estão a figura de deuses, animais e outras figuras geométricas. Esse tipo de cerâmica pode ser encontrado em áreas distantes da capital do império, uma vez que caravanas exportavam esses produtos para outras regiões.

Além disso, os habitantes de Tiahuanaco eram grandes tecelões. Dentre todas as outras culturas andinas e pré-incaicas, Tiahuanaco possuiu as peças de artesanato mais resistentes, e suas túnicas, gorros e vestimentas duram até hoje.

O DECLÍNIO DA CIVILIZAÇÃO

O colapso do império Tiahuanaco aconteceu por volta do ano 1000 d.C., devido a ataques externos de exércitos de outras civilizações, como os Ayamaras, por exemplo, além de mudanças climáticas extremas na região.

A capital Tiahuanaco foi abandonada e seu povo foi migrando para diversas outras regiões ou incorporado às tribos invasoras. No entanto, seu legado foi fundamental na inspiração para as construções e os sistemas sociais dos incas.

HUARI

Os Huari foram uma civilização pré-incaica que se estabeleceu nas costas litorâneas do que hoje pertence ao território do Peru, entre 450 a.C. e 1000 d.C., fundamentando as bases de um império que posteriormente influenciaria a civilização inca também.

Contemporâneos dos habitantes de Tiahuanaco, os Huari mantiveram um império que possuía mais de 70 mil habitantes, e administrava as diversas regiões que abrangiam quase a totalidade da costa peruana através de estradas e províncias bem delimitadas.

A exploração das paisagens naturais nas zonas costeiras e montanhosas do atual Peru fez com que os Huari pudessem estabelecer uma agricultura fortíssima, que era irrigada através de canais que traziam a água de rios e lagos próximos, até os terraços, que sustentavam o plantio de alimentos.

Graças a essas técnicas avançadas de cultivo e tratamento da terra, a civilização Huari sobreviveu a uma seca que durou mais de 30 anos, durante o século VI d.C., que acabou até mesmo com grandes civilizações vizinhas como a Nazca e a Mochica.

No entanto, o próprio povo Huari não atribuiu seu sucesso a técnicas bem elaboradas de plantio e irrigação, mas sim a divindades. A maioria delas foi apropriada da civilização Chavín, e eram todas ligadas a elementos terrestres, naturais ou aos astros, como o Sol, a chuva, a terra e o milho.

Esses deuses eram honrados principalmente pela pouca confiabilidade de que o clima da região dispunha, o que fazia com que essas divindades tomassem uma proporção muito maior. Um exemplo são as peças de cerâmica e a produção têxtil do povo Huari, que leva signos e outros ícones em homenagem a esses deuses.

Toda essa estabilidade no modelo socioeconômico fez com que a civilização Huari fosse muito mais desenvolvida econômica e militarmente do que seus contemporâneos.

A CAPITAL HUARI

A capital Huari, cidade que levava o mesmo nome de seu povo, está situada a 2.800 metros de altitude e possui uma área de aproximadamente 15 quilômetros quadrados. Fundada em 250 a.C., possui construções típicas da arquitetura andina, com estruturas em formato de salas retangulares e paredes densas que podem servir muito bem de labirinto aos que não conheciam a cidade.

As muralhas da cidade possuíam até dez metros de altura e quatro metros de espessura, fazendo com que os inimigos desistissem da invasão ao primeiro olhar. Seus edifícios possuíam de dois a três andares e os pátios da cidade eram cheios de bancos de pedra fixados diretamente na parede.

Há poucas diferenças entre as construções administrativas e as moradias Huari com relação a sua arquitetura. No entanto, o palácio real estava situado na parte mais antiga da cidade, chamada de Vegachayoq Moqo. A cidade, no entanto, parece ter sido abandonada por razões desconhecidas por volta de 800 d.C.

Huari era cercada por campos que possuíam um complexo e avançado sistema de irrigação feito através de dutos subterrâneos que transportavam água fresca até as plantações. Outros indicadores da prosperidade da capital foram as áreas destinadas à manufatura de joias e outros bens de consumo.

A rede de comércio dos Huari era vasta, e possuía prédios específicos nas províncias e na capital para o armazenamento destas mercadorias, mostrando um comércio que se estendia até o território que hoje pertence ao Equador.

No entanto, tumbas também foram escavadas em sítios arqueológicos na região, na qual foram descobertos exemplos de materiais têxteis e cerâmicas ritualísticas. A tumba da família real Huari foi descoberta nos arredores de Monja Chayoq, e junto desta estavam 25 câmaras alinhadas com pedaços de pedra finamente cortados.

Foi descoberto também um eixo, dentro dessas câmaras, que levava a um terceiro e um quarto nível que continham câmaras em formato de lhama, que possuíam os restos mortais da família real, enterrada entre 750 e 800 d.C.

PIKILLACTA

Pikillacta, outra grande cidade desta civilização, foi fundada em 650 d.C. e estava a aproximadamente 3.250 metros de altitude. Algumas quadras da cidade serviram para abrigar prédios destinados à administração e ao controle militar dos Huari.

No entanto, a importância da cidade se deu por um dos maiores achados arqueológicos sobre o povo Huari. Quarenta pequenas figuras humanas em miniaturas de aproximadamente 5 centímetros foram encontradas no solo de Pikillacta. Os arqueólogos acreditam que essas figuras representam líderes e governantes, shamans, guerreiros, prisioneiros e pumas.

Essas miniaturas foram todas esculpidas em ouro e pedras preciosas da cor verde, além de pedras semipreciosas, e representam um registro histórico importantíssimo para entender um pouco melhor a cultura e as atividades desenvolvidas pelos Huari.

A cidade foi abandonada também, entre 850 e 900 d.C., e alguns de seus prédios possuíam evidências de incêndios, o que pode ser um dos motivos da fuga dos Huari. No entanto, não foram descobertas ainda evidências concretas dos motivos que levaram a cidade a ser desertada.

Outras cidades que também tiveram importância aos Huari foram Viracochapampa, Jincamocco, Conchopata, Marca Huamachuco e Azangaro. Mesmo com Pikillacta, outras estruturas militares foram encontradas, como o forte de Cero Baul, que ficava bem próximo ao território dos Tiahuanaco.

A ARTE E O LEGADO

A arte Huari é muito ilustrativa e possui representações de divindades, plantas, pumas, condores, flores de cactos São Pedro, além de lhamas, mostrando a importância desses animais para o povo Huari.

Os principais achados arqueológicos da arte Huari foram em túmulos e sepulturas feitas no clima seco dos desertos peruanos, que preservaram esses panos para a posteridade.

Apesar das representações, os Huari também utilizavam padrões geométricos em seus bordados. Os desenhos se tornaram tão abstratos que eram praticamente irreconhecíveis, simbolizando seu uso ou sua confecção em meio a rituais xamânicos ou sob o uso de entorpecentes, utilizados durante cerimônias religiosas.

Metais preciosos eram um indicativo da elite Huari, e só eram utilizados por nobres e pela realeza. Em uma tumba Huari, já foram encontrados braceletes feitos de ouro e uma máscara mortuária feita de prata.

No entanto, o seu sistema administrativo, suas construções e terraços para agricultura, além de seu complexo sistema de vias e estradas, foram essenciais na influência de civilizações como os incas, por exemplo.

CHIMU: A DUALIDADE ENTRE DOIS IMPÉRIOS

A civilização chimu estabeleceu as bases de seu império na costa norte do Peru entre os séculos XII e XV, e foi conhecido posteriormente por ser a segunda maior civilização sul-americana que já existiu, ficando atrás somente de seus contemporâneos, os incas.

De acordo com as lendas e a mitologia do próprio povo chimu, seu primeiro governante e fundador Taycanamo teria saído de dentro de um ovo de ouro, e teria chegado pelo mar. No entanto, os líderes Chimu que mais se destacaram foram Guacricaur e Nancinpinco.

Guacricaur foi o primeiro governante do império chimu a estender os domínios do povo sobre outras regiões, conquistando os vales de Moche, Santa e Zaña. Já Nancinpinco, outro conquistador nato, levou a civilização até as terras mais distantes ao sul em 1375 d.C., dominando inclusive o povo de Lambayeque, do qual absorveria práticas culturais e ideais artísticos.

Os territórios pertencentes aos chimu até o reinado de seu último líder, Minchançaman, mediam aproximadamente 1.300 quilômetros, percorrendo toda a costa do Peru. Essa larga extensão se deu graças às campanhas militares e à administração das regiões e de suas agriculturas, prósperas devido ao sistema de irrigação construído pelos próprios chimu.

A dominação veio pela mão de seus contemporâneos incas, que capturaram Minchançaman em 1470 d.C., prendendo-o em uma cela em Cusco durante todo o resto de sua vida, e fazendo do território chimu um estado vassalo, submisso às ordens do governo central dos incas.

Certos aspectos culturais dos chimu foram assimilados pelos incas durante sua conquista, como, por exemplo, os governantes herdarem o título, e não as posses de seus antecessores, bem como grupos de artistas trabalharem para o estado.

Graças a alguns registros históricos e escrituras mantidas pelos próprios incas sobre os hábitos e tradições dos chimu, é que foi possível saber sobre seus governantes e seus principais deuses.

O panteão chimu era tão vasto quanto o dos incas e dos outros povos andinos anteriores a eles, no entanto, o destaque deve ser dado ao Deus Criador Ai Apaec, ao Deus do Mar Ni, e à principal deusa do panteão, a Deusa da Lua Si.

A CAPITAL DO IMPÉRIO

A cidade de Chan Chan foi a capital do império chimu durante toda a sua existência e é localizada nas bases da nascente do rio Moche. Tinha mais de 20 quilômetros quadrados, abrigando em seu auge mais de 40 mil habitantes.

Uma vasta rede de comércios foi criada por todo o império, fazendo da cidade de Chan Chan o principal entreposto comercial do povo chimu. Em seu período de maior prosperidade, mais de 26 mil artesãos trabalharam lá.

No entanto, muitas vezes esses homens e mulheres que trabalhavam como artesãos eram arrastados à força de suas cidades natais para produzir produtos em uma quantidade massiva, com uma ampla gama de materiais preciosos.

Apesar dos palácios e dos prédios de arquitetura monumental, Chan Chan era constituída por edifícios administrativos e plataformas de sepultamento com as múmias dos antigos líderes. No entanto, a maioria dos prédios eram residências para os administradores e artesãos.

Estes últimos viviam de modo modesto, em construções de pau a pique com telhados íngremes.

A FORMAÇÃO DA CIVILIZAÇÃO INCA

A formação da civilização inca está ligada diretamente com os povos que habitaram a região antes da chegada do primeiro inca, Manco Capác. Alguns autores supõem que os primeiros incas tenham chegado ao Peru na condição de fugitivos da região do lago Titicaca, na Bolívia, após terem sido expulsos de Tiahuanaco pelos confrontos envolvendo os Aimaras.

A. S. Franchini, em sua obra *As melhores histórias das mitologias asteca, maia e inca*, explica sobre os povos que exerceram uma influência considerável sobre os incas. "Os incas, porém, não foram a primeira civilização andina. A exemplo do que aconteceu com os astecas na América Central, eles foram a última grande civilização pré-hispânica a se consolidar na América do Sul. Antes da cultura inca, existiram várias outras que, de um modo ou de outro, a influenciaram", afirma.

Já de acordo com a própria mitologia inca, recontada pelos espanhóis quando tiveram seu contato com o povo andino já no século XVI, os incas se reconheciam como Paqarina, um tipo de etnia que segundo as lendas foi originada na gruta de Paqariqtampu, localizada a 30 quilômetros ao sul de Cusco.

A UNIÃO DOS POVOS

Dentre as muitas histórias que rondam o império inca, uma delas refere-se ao mito da criação e do surgimento do povo inca, remetendo à história de seu primeiro antepassado e fundador do império, Manco Capác.

Essa é uma versão curta e sem muitos detalhes dos contos repassados pelas tradições incas, no entanto, alguns estudiosos como Henri Favre a ilustram dessa forma, como uma tentativa de entender a união das tribos que já viviam ali, com os recém-chegados incas.

A lenda diz que da gruta de Paqariqtampu saíram quatro irmãos, Ayar Kachi, Ayar Uchu, Ayar Awka e Ayar Manko ou Manco Capác, com suas respectivas esposas-irmãs. Os quatro rapazes não possuíam nem pai, nem mãe, nem bens e pertences pessoais, e perambularam por um longo tempo nos territórios de Tampukiro, Pallata e Hayskisro com um frágil acampamento.

Ayar Kachi, o irmão mais velho de todos, regressou após o tempo de jornada para a caverna matriarcal, para se tornar Waka (uma divindade local). Enquanto isso, os outros jovens foram para o cume do monte Wanakawri, no vale de Huatanay.

Nesse vale, o segundo irmão mais velho, Ayar Uchu, se petrificou enquanto Manco Capác lançava um bastão de ouro para todas as direções. A lenda diz que o lugar que o bastão acertasse iria definir o fim da marcha errante.

O bastão acertou exatamente as terras de Wanaypata, as quais foram tomadas pelo seu irmão remanescente Ayar Awka. Honrado por poder tomar as posses das terras em nome de todos os irmãos, Ayar Awka correu e, permanecendo no local, se transformou em pedra também.

Sozinho, junto com as mulheres de seus irmãos e sua esposa, Manco Capác fundou naquela região a cidade que seria a capital de todo o vasto império inca, que hoje o mundo moderno conhece como Cusco.

Relatos míticos somados a achados arqueológicos e a relatos históricos feitos pelos cronistas espanhóis que tiveram contato direto com esse povo fez com que a história tomasse um caminho único, se tornando praticamente um registro da migração dos povos andinos.

Quando os incas chegaram à região, outros povos e tribos já estavam instalados lá. Reza a lenda que Mama Ocllo, esposa de Manco e a mais feroz de todas as irmãs, teria lutado sozinha contra guerreiros adversários e arrancado os pulmões de um deles com as mãos nuas.

No entanto, essas outras tribos alegavam em sua história que eram descendentes dos outros irmãos. Os Sawasiray diziam ser de Paqariqtampu também, e que Ayar Kachi era seu ancestral. Já os seus vizinhos, os Allkawisa, diziam ser de Wanakawri, e seu ancestral era Ayar Uchu, enquanto a tribo dos Maras viam Ayar Awka como seu antepassado.

Esse pequeno relato ilustra como diversos povos da região estabeleceram uma união política com base em suas ligações passadas.

"O mito dos irmãos Ayar aparecia, assim, como elaboração tardia a partir de elementos díspares. Ele visa, em primeiro lugar, atribuir uma origem comum aos ancestrais-fundadores de quatro grupos étnicos diferentes que haviam decidido confederar-se. Sua principal função era justificar a situação política de Cusco após a chegada dos incas, e não descrever o itinerário que estes teriam empreendido", afirma o pesquisador Henri Favre em sua obra *A civilização inca*.

APÓS A CHEGADA DOS INCAS

A chegada dos incas na região foi menos gloriosa do que se esperava em todos os sentidos. Os ferozes guerreiros que, em outro momento, eram a figura de semideuses, estavam aliados agora às outras tribos que viviam na região.

Não estavam aliados no sentido igualitário da palavra, mas sim exerciam o papel de um povo que havia chegado depois, e que por isso não gozava dos mesmos privilégios. As divisões nesse primeiro período dizem que dentro de Cusco existia a parte alta, denominada de Haran Cusco, e a parte baixa, denominada de Hurin Cusco.

Dentro dessa divisão, a parte alta da cidade e responsável pelos sistemas administrativo e político ficou a cargo da federação cusquenha, assim denominada pelo pesquisador Henri Favre, na obra *A civilização inca*, ao se referir às diversas tribos que se uniram aos incas, que ficavam na parte baixa da cidade exercendo a figura de comandantes militares.

Outros relatos históricos de cronistas afirmam que essa divisão foi colocada pelo próprio Manco Capác, quando fundou a cidade e que, nela, os incas exerciam papel principal em ambas as divisões. O próprio A. S. Franchini, em sua obra *As melhores histórias das mitologias asteca, maia e inca*, afirma: "Esse foi o sinal para que fundasse ali a capital do seu novo império, dividindo-a, logo em seguida, em duas partes: Hanan Cusco (a 'parte alta', presidida por ele) e Hurin Cusco (a 'parte baixa', que sua esposa deveria civilizar)".

Outras linhas de pesquisa afirmam que os primeiros governantes incas estavam localizados na parte baixa, Hurin Cusco, e que após as primeiras sete dinastias incas, os incas da parte alta derrotaram os da parte baixa, assumindo assim a liderança do império.

Essa afirmação é confirmada, com relutância, pela pesquisadora Isabel Yaya, em seu artigo *Hanan y Hurin: historia de un sistema estructural inca*, publicado na *El Bulletin de l'Institut Français d'Études Andines*, renomada revista científica que está em atividade desde 1972.

"Fontes coloniais nos dizem que a dinastia real inca se dividiu em dois campos chamados Hurin e Hanan, que ocorreram na cabeça de Tahuantinsuyu no decorrer do tempo. Os cinco primeiros governantes pertenciam à divisão Hurin, que espacialmente correspondia à parte baixa de Cusco, onde viviam as linhagens destes soberanos. De acordo com os mesmos textos, os últimos sete a nove reis tiveram a sua origem na divisão Hanan, espacialmente coincidente com a parte alta da cidade, onde seus descendentes viveram", afirma a pesquisadora Isabel Yaya.

Os relatos sobre esse tipo de divisão na chegada dos incas com as outras tribos são incertos, principalmente por conta da má interpretação do dialeto inca pelos cronistas espanhóis que iam caçando a história do povo através dos contos e relatos de habitantes do império.

OUTRAS VERSÕES DO MITO DA FUNDAÇÃO

Existem cerca de três mitos diretos com relação à fundação da cidade de Cusco e à capital do império inca. Todas as três lendas envolvem a figura de seu antepassado, patriarca dos incas, Manco Capác.

O interessante é que muitas dessas lendas foram tiradas dos registros de Garcilaso de la Veja, um dos mais famosos cronistas pré-hispânicos que já existiram, e responsável por alguns dos mais importantes registros sobre o povo inca.

Todas as falas descritas nas lendas são de autoria do próprio A. S. Franchini que, em sua obra *As melhores histórias das mitologias asteca, maia e inca*, se utilizou deste artifício para melhor contar as histórias descritas abaixo.

A LENDA DE MANCO CAPÁC

A primeira lenda, contada por Garcilaso em seus registros, diz que Inti, o Deus-Sol dos incas, a fim de salvar os homens da terra do permanente estado de barbárie em que se encontravam, resolveu enviar um casal divino para guiá-los.

Esses homens que viviam nesse constante estado de barbárie, descrito por Garcilaso como "comendo como bestas as ervas do campo e as raízes das árvores", e que não rejeitavam nem mesmo a própria carne humana como fonte de alimento, eram alguns dos novos homens que haviam nascido após o grande dilúvio ter transformado os primeiros seres humanos em pedra.

O casal responsável pela tarefa dada pelo Deus-Sol era Manco Capác e Mama Ocllo, sua esposa irmã, que de acordo com essa lenda teria surgido de uma das ilhas do lago Titicaca. Filhos do Sol e da Lua, eles atravessaram as geladas águas do lago com uma balsa feita de totora para, já em terra firme, receber as ordens do seu pai celestial.

O Deus instruiu-os a fundar uma nova cidade, além de dar claras diretrizes sobre a bondade e o respeito que deveria ser dado aos povos que encontrassem dispersos pelo caminho. O Deus, então, entregou a Manco Capác e Mama Ocllo uma vara de ouro comprida, que de acordo com o próprio Garcilaso media meio metro de comprimento por dois dedos de espessura.

Caso Manco arremessasse a vara ao terreno e ela afundasse, eles ali deveriam fundar Cusco, o novo "Umbigo do Mundo" (antigo título de Tiahuanaco). Em sua peregrinação, muitas vezes falharam ao lançar a vara de ouro, vendo-a tombar sem sequer adentrar o solo.

Certa vez, Manco e Mama pararam para descansar em uma caverna que ficava ao sul de onde seria a futura Cusco, durante a noite. A população local, curiosa a respeito dos dois, resolveu fazer contato e ouvir o que o casal tinha a dizer.

Na manhã seguinte, após sua partida, a população local passou a chamar a caverna de Pacarec Tampu, que significa na língua local literalmente a "Casa da Alvorada". Os dois irmãos, após outros longos dias e noites de caminhada, avistaram do topo da montanha de Huanacari, um vale habitado e que à primeira vista parecia fértil.

Manco arremessou a vara na direção do vale, e momentos depois já pulava de alegria junto com a esposa irmã, uma vez que a vara dourada entregue pelas mãos do próprio Deus Inti havia afundado por completo no solo sagrado que, hoje, abriga a cidade de Cusco.

A lenda continua, dizendo que ao descerem apressados da montanha, encontraram no vale uma população inculta e bárbara, que vendo os dois trajados com finas vestes e ouvindo as palavras de sabedoria dos dois, lhes acolheu como os respectivos filhos do Sol que eram, tornando-os seus chefes sagrados.

O conto também afirma que Manco casou-se com sua irmã, pois o próprio Deus Inti havia decidido que o sangue real não poderia ser confundido e misturado, hábito que permaneceu nas raízes culturais da civilização até o fim do império.

O MITO DOS IRMÃOS AYAR

Outro mito famoso com relação à origem dos primeiros incas é a lenda dos irmãos Ayar. Essa lenda é apresentada como uma versão alternativa da lenda contada anteriormente sobre os irmãos, justamente por conter outros traços místicos e muito mais detalhes.

Segundo o próprio A. S. Franchini, em sua obra *As melhores histórias das mitologias asteca, maia e inca*, o relato conta como Manco e sua trupe foram capazes de alcançar o mais alto patamar de supremacia da região de Cusco.

"Quase tão fabulosa quanto a lenda de Garcilaso, ela deixa entrever, no entanto, alguns traços mais realistas que sugerem a maneira pela qual a estirpe de Manco deve ter alcançado a supremacia na região de Cusco", afirma Franchini.

Nesta versão, baseada nos relatos de Juán de Betánzos e Pedro Sarmiento de Gamboa, dois contadores de histórias tão bons quanto o próprio Garcilaso diziam que existiam três grutas dispostas em uma montanha chamada Tamputoco, encontrada no povoado de Pacaritambo.

Dessas três grutas, a entrada central nomeada de Pac-toco ("Caverna Rica"), foi palco do nascimento de Ayar Manco, Ayar Kachi, Ayar Uchu e Ayar Auco com suas esposas irmãs.

Nessa versão, os oito irmãos emergiram da caverna com vestimentas adornadas, com armas e outros apetrechos em ouro que brilhavam quase tanto quanto o deus Sol Inti, seu pai, que havia se relacionado com a terra, mãe dos oito irmãos.

Manco era o líder natural de todos e além de portar a vara de ouro responsável por afundar no solo e definir o local de fundação de Cusco, carregava também uma ave sagrada, o pássaro Inti, um tipo de falcão que se tornou herança de todos os governantes incas ao longo dos séculos.

Ao contrário da primeira lenda, os irmãos nesta versão são exímios guerreiros que tomaram as rédeas de todos os povos pelos quais passavam, subjugando-os pela força e tornando-os vassalos.

Ayar Kachi já era considerado um exímio guerreiro e o mais forte e feroz dos irmãos. Suas devastações nos conflitos com outras populações eram tão terríveis e famosas que despertavam o medo até em seus irmãos.

Manco, após ver diversas demonstrações da força de Ayar Kachi, com medo de que o irmão pudesse também subjugar a todos eles, chamou-o e lhe contou que haviam esquecido muitas riquezas na caverna de Capac-toco.

Com um plano para se livrar do irmão, Manco mandou que fosse buscar as riquezas junto de um dos membros não divinos do grupo, e homem de confiança do próprio Manco Capác, Tambochacay.

Quando Ayar Kachi e Tambochacay chegaram à caverna, que possuía uma única entrada e saída, Ayar Kachi foi engatinhando por meio da fina e estreita passagem da caverna. No entanto, Tambochacay, astuto, selou a passagem com uma enorme pedra, que nem mesmo Kachi foi capaz de mover.

Tambochacay foi embora enquanto ouvia os gritos abafados de Kachi, que em seu último ato, brandou: "Pela sua traição, eu o condeno a estar transformado para sempre em uma rocha!". E, no mesmo instante, Tambochacay foi transformado em uma pedra muito maior que a usada para tampar a caverna.

Após o incidente com Ayar Kachi, os irmãos continuaram a jornada até o vale que abrigaria a cidade de Cusco. Lá, se prepararam para civilizar, por bem ou por mal, os dispersos cidadãos de uma pequena tribo, liderada por Alcaviza, o homem que o Deus Viracocha encarregou de aguardar os "novos homens", feitos após os primeiros serem transformados em pedra no grande dilúvio.

No pé do monte Wanakawri, Manco Capác grita que há uma huaca (ídolo de pedra) no topo do monte. Ayar Uchu, após subir apressadamente e chegar lá primeiro que todos, toma em suas mãos a huaca, que por sua vez a transforma em pedra.

A huaca era necessária, pois simbolizava a posse das terras, e sem ela os Ayar não poderiam permanecer na região. Sem que obtivessem resultados em impedir a transformação do próprio irmão em pedra, os Ayar continuaram sua conquista do território, fazendo de seu próprio irmão a nova huaca. Com isso, os únicos homens que haviam restado eram Ayar Manco (Manco Capác), seu filho Sinchi Roca e Ayar Auco.

Durante um breve período de tempo, de apenas dois anos, os irmãos Ayar e todas as tribos remanescentes que os acompanhavam em sua jornada, permaneceram na região conhecida como Matagua, até que tivessem forças para retomar a marcha.

Esse período de permanência não afetou em nada a vontade dos irmãos em seguir as ordens de seu pai, o deus Sol, e largando toda a comodidade, seguiram viagem até se depararem com um local chamado Guanaypata, o qual Manco tomou a lança dourada em suas mãos e a lançou velozmente em direção ao vale.

Após a vara, lançada por Manco, afundar no solo fértil onde seria fundada Cusco, os irmãos festejaram em alegria e Ayar Auco, honrando um pedido do próprio irmão Manco, criou asas e começou a alçar voo sobre todo o vale, em direção ao monte a fim de tomar posse das terras.

Assim como Ayar Uchu, ao pousar no topo do monte como um falcão, Ayar Auco se transformou instantaneamente em pedra, fazendo com que Manco Capác ficasse sozinho com todas as irmãs e seu filho.

Após duras batalhas, vencidas pelos irmãos Ayar, os primeiros incas adentrarram na região que dominariam a ferro e fogo. Essa é uma versão mais completa do conto dos irmãos Ayar, que transmitido de geração em geração, chegou à mão dos cronistas pré-hispânicos no século XVI.

MANCO CAPÁC E A ASTÚCIA HUMANA

Ainda que as duas outras versões da lenda dos primeiros incas sejam as mais contadas durante a história, existe uma terceira versão, na qual é explicado como Manco Capác se tornou o fundador e, por consequência, o primeiro imperador inca.

Nesta versão, não são usados artifícios místicos para que Manco chegue ao posto mais alto dos incas. Nela, o elemento sobrenatural é substituído pela astúcia humana, na qual Manco se mostra um exímio dominador.

O patriarca inca é despido de suas vestes de ser semidivino, e se coloca neste conto, baseado nas narrativas escritas por Frei Alonso Ramos Gavilán, como um produto fabricado pela mente humana.

Manco Capác, como mais tarde viria a ser conhecido, nasceu como segundo filho de um casal de curacas, integrantes de família poderosa, na região próxima de Cusco, durante o período pré-incaico.

Mesmo o líder da tribo não acreditou quando viu a criança. O pequeno bebê era branco, com a pele clara e avermelhada. O que nos dias de hoje seria algo corriqueiro, naqueles tempos era raríssimo, principalmente para as tribos andinas, colocar os olhos em um ser com essas características.

Existiram muito poucos índios de pele clara, mesmo quando se analisadas todas as tribos que iam desde a Terra do Fogo até o Canadá, e claro que na cabeça do líder da tribo não passaria a ideia de que o garoto teria uma ascendência europeia, ou até mesmo advinda dos Vikings, como hoje afirmam alguns estudiosos.

Justamente essas raridades nas características físicas do bebê fizeram com que o pai tivesse uma ideia absurda, e ao mesmo tempo divina aos olhos dele. Tratou de chamar em segredo o chefe de todos os xamãs e entregou-lhe o bebê, instruindo o xamã a criá-lo em sigilo absoluto.

A mãe do garoto havia morrido no parto e o pai, já velho, não duraria muito. Então, o pai disse para o xamã que arranjasse uma ama de leite para seu filho, e que ameaçasse a tal para que não desse com a língua nos dentes sobre a existência do menino.

O xamã obedeceu às ordens do pai da criança e a criou em absoluto anonimato. Antes do pai visitar o Uku Pacha, nome dado ao país dos mortos incas, deu estritas recomendações a serem seguidas pelo xamã quando a hora chegasse.

Instruiu o xamã a matar a ama para que ela não revelasse nada, e fez com que este treinasse o garoto a encenar um discurso pronto, feito pelo próprio pai da criança, que praticou esse discurso durante todos os anos de sua vida, sob as ordens do xamã e os desejos do falecido pai.

"Convicção!", gritava o xamã para o menino, que possuía já em sua fase de crescimento feições tão coradas que o próprio Frei, em sua crônica original, o descreveu como Rubio e Blanco. A intenção era justamente a de convencer todos que ele, com suas características diferenciadas, fosse o próprio filho do deus Sol Inti.

A. S. Franchini, na obra *As melhores histórias das mitologias asteca, maia e inca*, descreve os momentos de interação entre o xamã e o menino, bem como o plano feito pelo pai da criança antes de morrer, uma ideia brilhante e que mais cedo ou mais tarde viria à tona.

"Ninguém, até então, havia tido esta ideia verdadeiramente brilhante, mas estava na cara que algum dia um espírito mais perspicaz iria se dar conta da possibilidade." E completa: "Precisava-se, apenas, de uma boa encenação, um momento epifânico atordoante e convincente – o que não seria, afinal, tão difícil, uma vez que o povo, sabidamente, adorava encenações".

O autor, em sua releitura do conto de Frei Alonso Ramos Gavilán, dá até mesmo um breve panorama da mentalidade do povo andino na época em que era passada a história.

"Adorava também o mistério. E, mais que tudo, adorava sentir-se afagado e protegido. Em nome de tudo isso, ele estava disposto até a ser ludibriado feito uma criança", afirma o autor, que até mesmo cita um trecho da fala do pai ao xamã, ilustrando os ideais por traz do plano.

"Acredite, o povo não ama a verdade, mas o conforto e a segurança – garantira o curaca, antes de morrer, ao xamã. Uma vez alcançado o convencimento, não haverá mais retrocessos. Sua alma assustadiça continuará a precisar da mentira como seus pulmões necessitam do ar", completa Franchini.

Quando o garoto se tornou um homem feito, aos 20 anos de idade, não havia mais o que o xamã pudesse lhe ensinar. O místico havia confeccionado para o garoto vestimentas cheias de placas com ouro, prata e metais preciosos, para que a farsa fosse completa.

Na noite anterior ao dia do grande espetáculo, o rapaz foi durante a noite até a caverna do monte Tambotoco, na qual passou a noite recitando em pequenos sussurros as palavras que levou uma vida para aperfeiçoar.

Durante a mesma noite, o povoado sediava uma festa, com muita bebedeira e dança. Após a festança, o xamã, muito astuto, levou todos para o pé do monte a fim de receberem o deus Sol que já estava para aparecer.

Foi então que, atônitos, viram junto com os primeiros raios solares, a figura do rapaz, que com suas vestes douradas ganhava uma aura divina como nunca antes se havia visto. Os homens da tribo, de olhos arregalados, prestaram a máxima atenção enquanto o ser divino declarava o discurso treinado arduamente.

Em seu discurso, Manco afirmou com toda a convicção do mundo ser o deus Sol, e que, triste por não conseguir auxiliá-los de sua morada nos céus, iria enviar um filho a sua imagem, para que em um prazo de oito dias ascendesse aos céus, igual a ele e governasse o povo de acordo com suas leis divinas.

O povo mergulhou em uma espécie de encanto quando a figura desapareceu por completo do topo do monte e, ansiosos, aguardaram pacientemente o filho do deus Sol, que oito dias depois estava onde o Deus havia prometido.

Manco, então, desceu e encenou o papel da sua vida. Protagonizou o filho do deus Sol e entrou para a história como um dos principais personagens do principal império sul-americano da história.

Todas essas lendas possuem outras versões, dependendo de uma interpretação pessoal de cada um dos autores e estudiosos que os recontam. No entanto, esses três são os mais famosos contos, que trazem a origem do povo inca e um possível relato da jornada de seu fundador para chegar até onde, mais tarde, ficaria a principal cidade do império, Cusco.

A VASTIDÃO DO IMPÉRIO

O império inca é conhecido hoje como a maior civilização andina e sul-americana que já existiu. Ao contrário de seus contemporâneos do império chimu, que possuíam 1.300 quilômetros de terras dominadas, em sua totalidade, o império inca possuía mais de 4.800 quilômetros de extensão, de norte a sul.

Há uma estimativa, incerta e ainda inacreditável aos olhos de alguns historiadores, de que a população que vivia sob as asas e a proteção dos incas era superior aos 10 milhões de habitantes.

Essa estimativa não é totalmente irreal, uma vez que já foi comprovado que mais de 40 mil incas administravam esses milhões de habitantes, em um império que falava mais de 30 línguas diferentes, entre os diversos dialetos tribais.

No entanto, sua extensão territorial, principalmente a adquirida por meio de guerras e confrontos incessantes com outras tribos e povos, era de mais de 950 mil quilômetros quadrados.

Segundo Henri Favre, pesquisador e professor pela Universidade de Paris, em sua obra A civilização inca, o império progrediu em todas as direções, adquirindo um tamanho superior ao de países europeus e chegando a travar disputas até mesmo com as tribos das florestas amazônicas.

"Os territórios que conquistara por meio de guerras incessantes cobriam uma superfície de 950 mil km², equivalente à da França, da Itália, da Suíça e do Benelux reunidos. Ela se estendia do norte ao sul, segundo o eixo das cordilheiras, sobre mais de 4 mil quilômetros, desde o vale de Ancasmayo até o de Maule. A oeste, fazia limite com o oceano Pacífico. A leste, uma linha de fortificações os protegia de incursões das tribos silvícolas indomáveis e predadoras da Amazônia, que tentavam esporadicamente subir as encostas dos Andes para penetrar no interior dos planaltos", afirma o pesquisador.

A extensão era tamanha, que entre os climas que existiam no império inca estavam o desértico, o montanhoso e a selva com mata densa e fechada.

A DIVISÃO DO IMPÉRIO

O império inca, após ter sua união e sua unidade político-militar estabelecida, era chamado de Tahuantinsuyú, que significa literalmente "as quatro partes do mundo". Etimologicamente, Tahantin significa "quatro" enquanto Suyú significa "terra".

As quatro regiões descritas são as que hoje conhecemos como norte, sul, leste e oeste, porém, os incas, em seu dialeto, chamavam as regiões (Suyus) de: Chicasuyu (norte), Kollasuyu (sul), Antisuyu (leste) e Kuntinxuyu (oeste).

Cada uma das regiões era dividida em províncias, que por sua vez possuíam suas subdivisões em comunidades ou clãs. Quem governava as províncias eram os "Tukriquqs", que também ficavam responsáveis pelos clãs (Ayllu), no entanto, todas as províncias, comunidades e regiões eram administradas pelo governo central que ficava nas mãos do imperador inca.

2
A SOCIEDADE INCA

O MUNDO INCA CRESCEU, A PRINCÍPIO, COM INSTABILIDADE, UMA VEZ QUE DIVERSAS TRIBOS OCUPAVAM POSTOS ESTRATÉGICOS NA REGIÃO NA QUAL OS INCAS FUNDARIAM A BASE DE SEU IMPÉRIO

Com a ação de diversos governantes, o império inca cresceu frutífero e próspero. Em suas camadas sociais, todos trabalhavam pelo bem social. Impostos eram pagos, mas todos possuíam sua porção de terra, que podia ser utilizada para seu sustento e para a construção das moradias incas.

Seu povo possuía uma organização do trabalho feito de forma bem segmentada, e por isso, todos tinham funções já atribuídas. Os incas também criaram um sistema de assistência social e aposentadoria, que podia ser utilizado por idosos e inválidos.

Os casamentos incas eram realizados também de forma constante, o que por diversas vezes originou lendas e contos de amores proibidos e que ultrapassavam a barreira do mundo terreno.

Entre seus maiores feitos, estão o cultivo e a criação de animais em uma das altitudes mais elevadas do mundo, e com isso a colocação de um complexo sistema de estradas, que corriam por todo o império.

Os incas não pouparam esforços para manter seu nome na história, e foram capazes de criar verdadeiras obras de arte. Confira os mistérios, as lendas e a forma de vida que a sociedade inca desenvolveu durante seus anos dourados.

A PIRÂMIDE SOCIAL

A sociedade inca era rígida em diversos aspectos e a pirâmide social era um deles. Com uma hierarquia organizada, cada inca sabia seu devido lugar e pertencia a uma função social distinta, desde o imperador, até os humildes camponeses.

Algo que facilitava muito a classificação social era a região e a disposição dos povoados incas. A população andina vivia em meio a pequenas aldeias coletivas e agropastoris, localizadas a uma altitude mínima de 3.200 metros acima do nível do mar.

Henri Favre, em sua obra *A civilização inca*, conta um pouco sobre a fertilidade dessas áreas e o limite entre as terras cultiváveis e as altas estepes, e como estas afetavam essa classificação social.

"Se numerosas aldeias se situavam até a altitude de 4.200 metros e mesmo acima, mais raras eram as que se localizavam abaixo da clivagem atual desses dois importantes sítios ecológicos. Aliás, o vale constituía menos uma facilidade do que um obstáculo aos contatos, pois representava um fosso separando os agrupamentos sociais", afirma o historiador.

Cada uma dessas aldeias era constituída por um grupo de famílias ou pessoas de parentesco associado, que constituíam uma organização social que se chamava ayllu. Dentro desses ayllus viviam a base da sociedade inca, composta por camponeses e famílias rurais, que cuidavam do gado e do plantio das terras.

Acima dessas pessoas, havia os funcionários públicos de categoria inferior, ou sem cargos administrativos de comando, além de outras profissões especializadas, como marceneiros, ourives, pedreiros e outros artesãos.

Arquitetos, engenheiros, contadores e inspetores, ao lado dos membros do clero e do exército, constituíam a categoria de funcionários públicos de nível intermediário, portanto os que mais chegavam perto do status social dos chefes de aldeias, por exercerem profissão com fator decisivo na construção e expansão imperial.

Acima dele estavam os chefes das aldeias e os chefes das regiões e setores do império, que já chegavam um pouco mais próximos da nobreza. O império operava, em sua natureza hierárquica, por meio do sistema piramidal, e esse sistema se organizava de forma escalonada, e os chefes administravam suas respectivas regiões.

No topo da pirâmide social estava a família real, que além de ocupar cargos públicos altos de chefia, também exerciam cargos de confiança no meio do conselho real, junto com a nobreza. Esses, por sua vez, possuíam diversos privilégios e uma vida de sofisticação e cortejo de servos.

O líder supremo de todo o império era o imperador, descendente direto do fundador e primeiro inca, Manco Capác. Por isso, e pelo fato de possuir em suas veias o mesmo sangue que o filho do deus Sol, era venerado como um semideus.

A VIDA COTIDIANA

A maioria da população inca era composta basicamente por agricultores, o que afetava diretamente a sua vida diária e sua rotina de trabalho. Os grupos familiares, e seus conjuntos em ayllus, encarregavam-se do pastoreio do gado e do cultivo das terras e como forma de agradecimento recebiam comida e bebida do Estado.

É importante ressaltar que essa rotina era feita apenas pelos camponeses e pelas famílias humildes, uma vez que os familiares do imperador não podiam exercer funções no plantio, colheita ou pastoreio dos animais, no entanto, até hoje não é claro o motivo disto.

Alguns estudiosos afirmam que seria por conta de seu status social ou, ainda, devido ao número alto de cargos públicos e administrativos exercidos pela família do grande inca. Os dois pontos são citados pela historiadora Patrícia Temoche Cortez na obra *Breve história dos incas*.

"Os familiares do inca não podiam dedicar-se ao cultivo e à colheita de suas terras, talvez pela grande quantidade de trabalhos oficiais ou por um certo status. A partir do governo de Pachacútec se estabeleceu o serviço dos Yanas, uma espécie de servos dedicados exclusivamente ao trabalho agrícola ou de pastoreio nessas terras", afirma Patrícia.

No entanto, na época de plantação e de colheita, todos os integrantes das famílias humildes trabalhavam no campo. Todos os incas eram obrigados a pagar impostos, não em dinheiro, mas em trabalho.

Os contrastes entre os ambientes naturais do império, bem como suas divisões territoriais, era o que determinava o ritmo da vida cotidiana. Um exemplo disso é a função de pescador, exercida exclusivamente pelos incas que viviam no litoral e usufruíam de toda a riqueza do mar.

Outro afazer da vida diária era o ensino. Os incas, que já eram experientes em uma profissão, viajavam até a capital Cusco para passar seu conhecimento a jovens aprendizes.

A EDUCAÇÃO

A educação inca era privilégio da elite. Somente crianças de famílias nobres e da família real tinham acesso à educação de qualidade no império. Os filhos dos nobres estudavam em escolas especiais, onde aprendiam sobre diversas áreas de estudo.

A língua quéchua, bem como história, religião, astronomia e matemática, eram ensinadas durante os anos em que as crianças permaneciam na escola, e em sua graduação tornavam-se funcionários do império a serviço do imperador e de todo o aparato administrativo dos incas.

Outro destino que poderia ser escolhido pelos homens era a carreira militar, na qual os rapazes podiam se alistar na adolescência e, no caso dos nobres, podiam continuar exercendo a profissão, chegando a um posto de oficial.

As mulheres podiam, por outro lado, se tornar virgens do Sol. As crianças que não tinham esse privilégio eram ensinadas pelos seus pais, e aprendiam na vida cotidiana a exercer algum ofício ou a trabalhar duro pelo império e pela sua família também.

A ORGANIZAÇÃO DO TRABALHO

A organização do trabalho inca era determinada principalmente pelo gênero. Homens e mulheres possuíam funções diferentes na sociedade, no entanto, nenhum dos trabalhos era dispensável, fazendo com que todos tivessem o valor do seu trabalho reconhecido.

Os homens, por sua vez, cultivavam as terras da família real, além das terras do clero e das terras que pertenciam à comunidade. Eram obrigados também a participar da construção dos projetos arquitetônicos, como fortalezas e estradas.

Eram comuns aos homens funções braçais, e que exigissem mais força, graças ao porte físico destes. No entanto, os homens também podiam fazer trabalhos leves e manuais, como por exemplo trançar fibras para a construção de esteiras.

Essas esteiras, feitas com as fibras vegetais das árvores, serviam como cama para os incas. Cortar o couro dos animais, bem como confeccionar sandálias fortes e resistentes para a população também era tarefa masculina.

As mulheres, por sua vez, tinham funções mais brandas, apesar de, quando necessário, serem convocadas a ajudar no plantio e na colheita das lavouras. Dentre essas tarefas brandas, estão a confecção e manufatura de roupas, cestos e utensílios.

Esses cestos, além de outros projetos artesanais, eram usados para comportar e transportar cargas leves e meio pesadas nas costas dos que precisassem. Às pessoas de ambos os sexos, era atribuído também o trabalho de enterrar e sepultar seus semelhantes.

Entretanto, esse trabalho era dividido também por sexo. Aos homens, cabia a orientação dos meninos e dos jovens, enquanto às mulheres cabia a orientação das meninas e das jovens moças. O nome era dado também por hereditariedade: os homens recebiam o nome do pai e as mulheres, o nome da mãe.

Para o sepultamento, o trabalho de enterrar os homens era feito pelos homens mais jovens, e o das mulheres, pelas mulheres mais jovens.

A MITA E OS TURNOS DE TRABALHO

A mita, que significa literalmente "turno" na linguagem inca, era um tempo de serviço obrigatório entre os homens incas que trabalhavam em intervalos regulares entre as safras, e cujo tempo poderia durar de três meses a um ano.

Essa é uma prática de trabalho que durou até a conquista espanhola, na qual cada ayllu deveria colocar à disposição de seu governante um contingente de trabalhadores, que por sua vez era usado da melhor forma em prol do governo.

Entre as atividades habituais desses trabalhadores estavam as funções de guardar e proteger os rebanhos do governante, bem como fiar e tecer a lã desses animais, além de atender a todos os integrantes desse grupo doméstico.

O serviço era dividido, de modo que todos os trabalhadores realizavam as funções rotativamente, prestando um serviço contínuo ao seu governante. Dessa forma, o curaca podia usufruir da energia e da força de trabalho de uma parte de seus súditos, que canalizava de forma exclusiva para seu proveito na agricultura, no pastoreio e em outras atividades.

A FAMÍLIA

A relação entre as famílias era muito próxima, uma vez que as famílias dos agricultores eram reunidas em grupos de até cem pessoas que ficavam sob a administração de um dos curacas, que por sua vez eram responsáveis por captar os impostos desses trabalhadores.

Uma das funções desses administradores era a de casar os jovens. As moças estavam prontas para casar aos 16 anos e os rapazes, entre os 18 e os 25 anos. Eles eram obrigados a escolher alguém de seu próprio ayllu para casar, e depois de noivos, recebiam como presente da comunidade algumas terras para começarem a vida.

Segundo a historiadora Patrícia Temoche Cortez, na obra *Breve história dos incas*, a família recebia as terras, que não eram sempre fixas. "A família de recém-casados também não mantinha para sempre a mesma quantidade de terras. Ela variava", afirma a historiadora.

Ainda com relação aos bens adquiridos no casamento, o homem geralmente recebia um montante de terras muito maior que o da mulher. Os historiadores dão o nome de tupus a essas terras e elas variavam não só pelo sexo, mas pela sua disposição ao plantio.

Um tupu era dado à família também quando estes estavam para ter um filho, o que significaria mais terras para plantar e alimentar o pequeno. Em compensação, os avós do garoto, se ainda vivessem, teriam suas posses reduzidas.

"O nascimento de um menino era abençoado com a entrega pela coletividade de uma porção de tupu. Contudo, é muito provável que a posse por parte dos avós se reduzisse", relata Patrícia.

Apesar do nascimento de uma criança ser considerado uma bênção na civilização inca, a taxa de mortalidade infantil era alta e a vida dos pequenos não era nenhuma mordomia. Com uma educação espartana, tomavam banho frio e quando necessário ficavam ao relento em noites geladas e manhãs úmidas.

Algumas crianças, as mais bonitas ou dotadas de qualidades especiais, eram sacrificadas como uma oferenda aos deuses, porém, esse era um ritual que raramente era feito. As meninas, principalmente, ajudavam as mães a cuidar dos irmãos menores e a fazer tarefas domésticas.

AS MORADIAS

O casal tinha, após casar, a obrigação de trabalhar muito para cobrir suas despesas e dividia com toda a família um único cômodo em uma casa simples. Essas casas, aliás, eram construídas com blocos de pedra cortados e sustentados por um acabamento em barro.

A maioria das moradias dos camponeses, e da base social inca, no geral, era feita do mesmo material e não possuía portas, o que era extremamente inconveniente para o clima inconstante da região.

A solução encontrada pelos incas foi uma porta improvisada, feita de tecido ou de couro cru. Contudo, este não era o único problema. Não havia camas nem mobília na casa, portanto, as pessoas dormiam sob esteiras, feitas à base de folhas, e ficavam de cócoras para comer e trabalhar.

A maior parte dessas casas se localizava próxima do local de trabalho do casal e dos familiares, para facilitar a produtividade e a convivência.

AS TRÊS LENDAS DO AMOR INCA

A maioria das culturas possui suas lendas sobre o amor, seja ele não correspondido, ou mesmo proibido, como no caso de Romeu e Julieta ou Helena de Troia. Com os incas isso não seria diferente.

Sua cultura é tão vasta que os espanhóis não pouparam recursos para reportar as histórias que lhes eram contadas.

Os contos, mesmo recontados a partir da tradição oral, foram todos consultados na obra *As melhores histórias das mitologias asteca, maia e inca*, do pesquisador A. S. Franchini.

A LENDA DE CHIMO E TUNAC

O misticismo dessa lenda peruana tem muito a ver com a cultura inca. A lenda diz que um casal, chimo e Tunac, vivia em um dos montes mais altos da cordilheira dos Andes. Tunac, na época, era uma jovem muito caprichosa e para agradar o marido que trabalhava arduamente, decidiu enfeitar a casa e perfumá-la com as flores mais belas que encontrasse.

Para tal, desceu ao vale que ficava no pé do monte para colher as flores. Depois de muito andar pelos campos, avistou uma das mais belas flores que já havia visto e, como eram perfumadíssimas, Tunac colheu um maço inteiro.

No entanto, em um ramo mais alto havia uma flor que, aos olhos de Tunac, ficaria perfeita na casa. Sem hesitar, se espichou inteira para colher o exemplar de flor. No momento em que Tunac forçou seus pés contra o solo para agarrar a planta, a terra se abriu, engolindo-a inteira, enquanto a jovem soltava gritos desesperados de pavor.

Chimo, ao ver que o tempo passava e a esposa não havia retornado para casa, saiu para procurá-la. Sem sorte em encontrar a jovem, achou o arbusto no qual Tunac havia colhido as flores e, se deparando com a terra aberta, urrou de dor ao entender o que tinha acontecido.

O jovem rapaz sequer conseguiu voltar para casa. A vida sem sua linda Tunac não teria sentido. Com isso, esgueirou-se pelo buraco e se meteu a encontrar sua amada no abismo de profundidade colossal.

Chegando ao fundo, chimo colocou os pés onde nenhum outro homem jamais esteve. O Uku Pacha, o reino dos mortos incas, era frio e cheio de espectros. A morada dos mortos não era nada acolhedora, mas reunindo sua coragem, chimo perguntou a um espectro onde poderia encontrar sua amada.

O vulto errante, que um dia possuiu vida, indicou uma pequena cabana rústica, feita de materiais leves, onde a garota estava sendo mantida em cativeiro, e sob a vigilância de animais selvagens do mundo dos mortos.

Depois de analisar muito bem a cena em que se encontrava sua amada, chimo retornou à superfície e se pôs a catar vários cocos das árvores. Ralando-os até virarem uma pasta, desceu até o mundo dos mortos e espalhou o alimento sobre algumas pedras, a uma distância razoável da cabana.

Os animais selvagens, loucos pelo delicioso cheiro do coco ralado, correram para provar a iguaria. Chimo, astuto, aproveitou a falha da segurança dos animais e carregou sua esposa para fora da cabana, indo rapidamente até as raízes mais baixas das árvores da superfície e escalando de volta até o mundo dos vivos.

Naquele mesmo dia, o casal se mudou para o pico mais alto da cordilheira dos Andes. Desde aquele episódio, Tunac nunca mais desceu para colher flores ou fazer qualquer outro tipo de atividade.

A LENDA DE HUNAC E PACHIC

A lenda boliviana também foi contada nos tempos em que as terras pertenciam ao império inca, e faz parte direta das tradições orais do povo inca. A história conta sobre um jovem casal de apaixonados que, de uma forma melancólica, interage com os três reinos do universo.

Na mitologia inca, as árvores são consideradas o elo natural dos três reinos, que são o Uku Pacha, ou reino dos mortos, localizado nas raízes da árvore, o Kay Pacha, que é o reino terrestre ligado à árvore pelo seu tronco, e o Hanan Pacha, representando o reino dos céus, ligado às árvores pelas suas ramas.

O jovem Hunac, certo dia, se apaixona por uma das mais belas e cobiçadas moças de toda a região. Pachic, de tão bela, já havia recusado o pedido de casamento de muitos homens, até conhecer Hunac.

O lendário amor à primeira vista florescia entre os dois jovens que em pouco tempo já estavam casados. Porém, o grupo de homens recusados por Pachic decidiu se vingar e, um dia, quando a jovem estava voltando da colheita, abordaram-na em uma emboscada.

Após abusarem da jovem e a maltratarem a ponto de ela ficar gravemente ferida, foram embora. Pachic, com muita força de vontade, encontrou energias para rastejar até a sua casa, onde encontrou Hunac aterrorizado pelo que fizeram a sua esposa.

Como último pedido, Pachic ordenou a seu amado esposo para que ele cortasse sua cabeça e a enterrasse no terreno do casal. O marido, sem entender muito o motivo do estranho pedido, acatou as ordens de Pachic.

Tempos depois, após o período de luto de Hunac, ao sair para trabalhar, o jovem se deparou com a árvore mais bela que poderia ver na vida. Ela estava exatamente no lugar onde havia enterrado a cabeça de sua amada, que havia voltado à vida, em forma de árvore, para acompanhar e viver com seu amado uma vez mais.

A lenda é, além de macabra, uma das possíveis explicações sobre o costume ancestral de algumas populações de enterrarem cabeças nos campos das plantações, a fim de "magicamente" ajudar a colheita.

A LENDA DE PACHEBCA E CHICCA

Essa lenda, também trágica, faz parte das tradições andinas e transmite uma explicação mitológica para as estrelas e a via láctea. Tudo começou com o casal de jovens apaixonados, Pachebca e Chicca.

Mesmo com os dois se amando intensamente, os irmãos de Chicca detestavam Pachebca e diziam que não tolerariam o relacionamento da irmã. Chicca, no entanto, não deu ouvidos aos irmãos e continuou ao lado de seu amado.

Os irmãos, por sua vez muito ciumentos e desgostosos, decidiram acabar de vez com o relacionamento dos dois. Emboscaram Pachebca e o mataram. A pobre garota, de tamanha infelicidade que foi perder o seu grande amor, decidiu que o seguiria até o lugar em que estava.

Em sua subida até o reino dos céus, o Hanan Pacha, derramou suas lágrimas de tristeza e ao mesmo tempo felicidade por reencontrar seu amor, por sobre toda a abóbada celeste que cruzava os céus incas. Destas lágrimas foram criadas as estrelas e a via láctea.

Essa é uma das histórias de amor mais famosas dentro das lendas incas, e foi utilizada para explicar às novas gerações os fenômenos que os incas por si não conseguiam explicar, como as estrelas e a via láctea.

A ASSISTÊNCIA SOCIAL E A VELHICE

A assistência social era provida a todos os que tinham certa idade e que, por consequências do trabalho, a família não pudesse ajudar ou sustentar o idoso. Um camponês inca poderia se considerar uma pessoa de muita sorte se vivesse o bastante para ver os netos, ou se chegasse até os 50 anos.

A média de vida dos incas naquele período era muito baixa, e grande parte está associada com o nível de produção inca, somado às adversidades climáticas e à exposição a fatores externos.

No entanto, no sistema inca, quando uma pessoa não aguentasse mais trabalhar e não tivesse capacidade física suficiente para exercer mais nenhuma outra função, o camponês estava habilitado a ser um pensionista do Estado, ou seja, era alimentado e vestido pelo governo.

O governo, por sua vez, não obrigava ninguém a trabalhar se não tivesse condições para fazê-lo. Os doentes, enfermos, pessoas muito idosas ou muito jovens não precisavam trabalhar, e como os impostos eram pagos através de trabalho e não de dinheiro, o governo pegava o que cada um produzia, juntava e distribuía de acordo com o que era "pago" de imposto.

A população pagava ao Estado, na forma de impostos, dois terços de tudo que era produzido. O Estado, por sua vez, conservava todo esse alimento em depósitos e armazéns para que em épocas de carência fossem distribuídos ao povo.

Existia, portanto, um equilíbrio sobre tudo o que você dava ao Estado e tudo o que o governo lhe entregava de volta. Aos idosos e aposentados que optassem por continuar trabalhando, eram atribuídas tarefas mais leves, como pegar lenha ou ajudar a cuidar e educar as crianças, além de, claro, não pagarem impostos.

OS RECÉM-NASCIDOS E A ROTINA DAS MÃES INCAS

O nascimento de uma criança era motivo de orgulho para os incas, porém a família não recebia nenhum preparo oficial e pomposo. As mães incas pariam seus filhos pelo método natural e muitas vezes não recebiam ajuda.

Enquanto a mãe estivesse parindo, o pai não poderia se alimentar. Os incas acreditavam que esse costume poderia proporcionar um nascimento saudável e tranquilo para a mãe e ao recém-nascido, que após sair do ventre da mãe, era banhado em água fria para ser limpo.

Os recém-nascidos incas se chamavam wawa, de acordo com o dialeto nativo, e não recebiam um nome até que tivessem pelo menos 1 ano de vida. Alguns dias após nascerem, os bebês eram amarrados e mantidos firmemente em berços, que possuíam o formato de uma cesta, chamados quirau, ao longo de todo o dia.

Quando a criança completava 1 ano de idade, passava pelo ritual do rutuchicoy, em que um tio ou o avô da criança cortava a primeira mecha de cabelo dela. Em seguida, outros parentes cortavam alguns tufos e trocavam por presentes com a família.

A VIDA DE UM INCA, DA JUVENTUDE À VELHICE

A forma de vida de um inca variava de acordo com sua função social, cargo e localização. Contudo, a vida de um inca que estava na base da pirâmide social, ou seja, um camponês, podia ser bem pacata e monótona.

O dia começava e praticamente terminava com as famílias passando a maior parte de seu tempo trabalhando nas terras do Sol, que de acordo com as obrigações religiosas era a tarefa mais importante do líder da família.

As crianças e os adolescentes trabalhavam no campo, afugentando os pássaros, animais e outros tipos de empecilhos que pudesse destruir o trabalho na lavoura, enquanto as meninas e mulheres mais jovens ficavam na casa, ou no espaço aberto em frente às casas onde afazeres domésticos eram realizados.

Era muito comum naquele tempo as crianças receberem nomes provisórios até que atingissem a puberdade. Os garotos poderiam receber nomes como Falcão ou Cobra, enquanto as garotas poderiam se chamar Ouro, Prata ou Raio de Sol.

Na puberdade, os rapazes de 14 anos participavam de um evento chamado Capác Raymi, que podia durar dias ou semanas em que testes de resistência e força eram aplicados. Se aprovados nos testes, os rapazes recebiam um único pedaço de tecido que era preso na cintura pelas suas mães, e sua primeira arma de guerra.

As garotas, por outro lado, atingiam a puberdade quando ocorria a primeira menstruação. Elas permaneciam em casa por três dias

CERCADINHO INCA

Os incas não possuíam um sistema de creche para manter os bebês seguros enquanto os pais trabalhavam. A solução? Colocá-los em buracos. Quando o bebê já possuía idade o bastante para engatinhar ou andar, os pais cavavam um buraco dentro de casa, onde o bebê permanecia sentado até que retornassem da lavoura. Isso impedia o bebê de se machucar e se ferir longe dos pais.

sem comer nada, enquanto seus familiares celebravam a quicochicoy. No quarto dia ela aparecia banhada e vestida em roupas finas.

Tanto para os garotos quanto para as garotas, esses rituais significavam que atingiram a idade adulta, e por consequência recebiam seus nomes permanentes. No entanto, não tinham exatamente as mesmas funções e responsabilidades dos adultos, o que só ocorria apenas depois do casamento.

Quando esses mesmos jovens se casavam, sempre entre si e nunca com ninguém de outras regiões, se mudavam para uma moradia feita especialmente para eles, e como presente do governo não pagavam impostos por um ano.

A função da esposa e mãe de família, além de cuidar da casa e dos afazeres domésticos, era de tecer roupas para sua família e para o Estado. O marido, por outro lado, estava apto a exercer plenos serviços como adulto e profissional, trabalhando na lavoura ou no ofício que havia sido ensinado pelos seus antecessores.

O ciclo se repetia com seus filhos e com seus netos. Quando o inca ficava já incapacitado de trabalhar, realizava os serviços mais leves, designados apenas aos anciãos, ou auxiliava nos ensinamentos e no cuidado das crianças.

Quando morriam, os incas eram enterrados em lugares próximos ao seu ayllu, ou em locais sagrados, caracterizados como huacas. Dependendo do grau social, se fosse um nobre ou mesmo o imperador, eram transformados em múmias e recebiam um cuidado que beirava a excentricidade.

3
A POLÍTICA INCA

CONHEÇA UM DOS MAIS BEM
FUNDAMENTADOS GOVERNOS DE TODAS
AS TRIBOS E IMPÉRIOS DA AMÉRICA LATINA

O aparato administrativo dos incas não era diferente do que as civilizações modernas podem acompanhar nos dias de hoje, no entanto, possuía algumas particularidades.

No topo ficava o imperador, conhecido pelo título hereditário de Sapa Inca, e junto a ele permanecia somente a sua esposa oficial, a Coya ou rainha. Sua família, por ser descendente e afiliada com o próprio filho do deus Sol, exercia todos os cargos políticos importantes.

Um exemplo disso são os parentes com grau de parentesco mais afastado, que só por ter alguma ligação com o imperador, exerciam funções como governadores distritais, comandantes militares e chefes de vilarejos mais afastados da capital.

A especialista em história pela Universidade Nacional Mayor de San Marcos de Lima, Patricia Temoche Cortez, em sua obra *Breve história dos incas*, conta um pouco como essa divisão poderia ser prejudicial para o imperador, uma vez que muitos dos familiares nutriam planos para tirá-lo do poder.

"Os cargos foram concedidos à nobreza cuzquenha. Era importante que a linhagem inca se institucionalizasse na maior parte dos territórios, apesar de muitos dos orelhões [nobres] terem participado de conspirações e intrigas contra o governador", afirma a historiadora.

No entanto, os membros mais jovens das famílias nobres e filhos desses "incas com privilégios" podiam ocupar cargos de responsabilidade em povoados e até mesmo na cidade.

Não era uma regra imutável essa abertura de cargos apenas aos filhos dos nobres. Outras pessoas capazes também podiam tornar-se chefes de aldeias e povoados ou exercer algum tipo de função administrativa, porém não era frequente.

Patricia Temoche Cortez, em sua obra *Breve história dos incas*, conta também sobre essa relação dos filhos da nobreza com os cargos políticos, além de outros tipos de cargos de confiança dispostos na sociedade inca.

"Os cargos de maior confiança foram entregues aos irmãos do governador, que assumiam a liderança nos territórios mais extensos e um deles podia substituí-lo quando da sua ausência da cidade de Cusco". E completa: "Outros cargos de confiança foram entregues aos filhos – conhecidos como auquis – e assim esteve vigente a relação de reciprocidade do Estado com um grupo étnico."

Essa relação praticamente inseparável entre a família real, a nobreza inca e seu Estado, se dá na forma da confiança em gerir um império de tamanha extensão como foi o dos incas. Com essa longa extensão, era praticamente impossível ao imperador, sozinho, fiscalizar e permanecer atento a todo o território.

Com isso, a solução administrativa encontrada foi colocar em cargos de liderança, chefes que representassem, através de um aparato administrativo confiável, o governador durante cerimônias importantes e que ao mesmo tempo pudesse exercer uma fiscalização sobre os territórios e os chefes étnicos, subordinados do Estado.

OS MAIORES LÍDERES DO IMPÉRIO

A história dos líderes do império vem desde sua fundação. Manco Capác foi o primeiro líder inca e quem deu as direções para que a civilização se estabelecesse daquela determinada maneira, junto às outras tribos que já viviam no território.

No entanto, um único homem jamais conseguiria dominar e administrar sozinho tamanha imensidão de terras e súditos. Confira a seguir como são os cargos do governo inca e a hierarquia administrativa dos incas.

A CHEFIA E AS LIDERANÇAS MENORES

O termo chefia, ou Cacicaz-go, foi utilizado por diversos cronistas espanhóis quando se depararam com a civilização andina, substituindo assim nos relatos históricos o termo Inca Curaca.

No entanto, o termo é utilizado corretamente pelos desbravadores espanhóis, uma vez que o sistema de chefia inca era totalmente escalonado e hierárquico. Em primeiro lugar, na ordem hierárquica de comando, vinha o Sapa Inca, imperador e governante supremo de todas as terras incas, representando o próprio deus Sol.

Abaixo do imperador, estavam quatro homens que integravam o conselho imperial, responsável por assessorar e ajudar o imperador nas tomadas de decisões. O Apu, nome inca dado a este conselho, representavam as quatro direções do império, e por isso, apenas quatro membros.

Cada um desses membros era responsável por auxiliar o imperador na tomada de decisões referentes à sua própria direção. Por exemplo, o conselheiro responsável pelo Antisuyu (Leste) aconselhava sobre os distritos deste lado do império e assim por diante.

Os Tukriquq, termo inca dado aos governadores de cada província, vinham logo abaixo do Apu na hierarquia de poder. Esses governadores residiam nas cidades que constituíam o principal local, de todo o território administrativo, que eram responsáveis, mostrando por si só que seu cargo não era baixo.

Vale ressaltar que esses governadores eram os representantes diretos do imperador naquela província ou distrito, e exerciam pelo imperador a justiça e a ordem que fugisse do controle dos chefes tradicionais.

Entre suas tarefas, estavam a administração do local e a supervisão das construções, entre estradas, pontes e edifícios. A coleta e controle dos bens produzidos, e pagos ao Estado, estavam sob sua jurisdição, o que impediu por muitas vezes que houvesse abuso de poder por parte de outros chefes menores.

Os funcionários que cercavam esses governadores, e que o auxiliavam em suas tarefas, eram os Kipukamayoq. Esses funcionários se encarregavam de contar, por meio de um sistema matemático único desenvolvido pelos incas, as entradas e saídas dos trabalhadores e das mercadorias dos entrepostos do Estado. Esses números eram sempre atualizados e eram marcados utilizando uma espécie de barbante.

Por muito tempo, esses cargos que passaram a ser menores do que os cargos administrativos maiores dos Apu e dos Auquis, além dos sacerdotais e dos militares, foram exercidos por membros da família real quando a civilização inca se iniciou e todos esses respondiam diretamente ao imperador.

OS CURACAS E SUA AUTONOMIA

Contrapondo toda a burocracia imperial que regia as determinadas camadas hierárquicas da máquina pública inca, estavam os curacas, que eram líderes tribais que já possuíam vastos territórios antes mesmo dos incas se estabelecerem.

Mesmo que muitos desses chefes estabelecessem um movimento de contestação das autoridades incas, quando suas etnias eram dominadas, não possuíam alternativa senão se submeter às ordens do imperador.

No interior do Tihuantisuiú, os curacas não faziam papel de meros subalternos, apesar de seguirem estritamente as ordens do imperador, dadas pelos Tukriquq. Eles representavam frente ao imperador toda uma etnia diferente da dos incas.

Portanto, a missão primordial desses curacas era estabelecer um canal de negociação e comunicação entre o império inca e toda uma etnia que era administrada por esse funcionalismo inca.

"Operavam a articulação entre o poder central, cuja ação reproduziam ao nível regional ou local, e a população submetida a esse poder, da qual constituíam a emanação. A posição de mediadores que ocupavam no sistema político inca proporcionava-lhes, sem qualquer dúvida, uma ampla margem de manobra e iniciativa", afirma Henri Favre em sua obra *A civilização inca*.

Sendo assim, a política que regia a relação entre esses curacas e o imperador inca sempre foi muito personalizada. Agora, como os imperadores evitavam que essas etnias conquistadas se rebelassem?

Na estratégia do imperador, isso era algo bem simples. Quando o antigo curaca saía do poder, o próximo só era eleito e subia a seu cargo se fosse aprovado pelo próprio imperador e provasse sua lealdade.

Para isso, como demonstração de lealdade e obediência ao império, o curaca deixava sob os cuidados da corte imperial seu filho ou seu parente próximo que seria assim, designado para sucedê-lo de acordo com os costumes de sua etnia.

O garoto, assim, era obrigado a residir junto com a nobreza inca, que por sua vez doutrinava o jovem para que assumisse os costumes e as tradições incas, fazendo-o leal ao imperador e principalmente ao povo inca.

Essa condição de refém, imposta pelo governo inca, não era uma exclusividade apenas do herdeiro da etnia. Junto com ele, vinham a estátua que representava o ancestral do curaca daquela etnia, que também era feita de refém.

Se aquela determinada etnia se rebelasse contra o povo inca, além de seu futuro chefe e herdeiro do curaca sofrer as consequências, esse ídolo, chamado de Waka, era exposto em praça pública, onde sofria insultos e desonra pelos moradores da capital.

"O imperador não carecia, portanto, de meios de pressão sobre os curaca, que controlava não só através de seus descendentes e sucessores como também de seus ascendentes divinizados. Frequentemente os curaca ofereciam ao imperador uma filha ou irmã como esposa subsidiária e, em troca, obtinham mulheres e dependentes. A cada ano, após a colheita, eles se apresentavam em Cusco para presentear simbolicamente o soberano com uma parte dos bens produzidos em benefício do Estado pela força de trabalho de sua etnia", afirma Favre.

Esses presentes, bem com a troca de favores e de serviços, davam maior prestígio e poder ao curaca e a sua etnia, mas, ao mesmo tempo em que o império inca dava vantagens a essas populações, também as tirava com a mesma facilidade.

Se duas etnias rivais fossem assimiladas pelo império inca, as duas deveriam entrar em acordo de paz e não deveriam mais guerrear. A guerra que não fosse travada em nome de todo o império inca e de seu soberano não era permitida.

Outra aplicação que delimitou a ordem nas regiões governadas por essas diferentes etnias foi a proibição da pena de morte. Antes essa responsabilidade era do curaca, que determinava as punições aos delinquentes e criminosos. Após serem assimilados pelos incas, o único que poderia aplicar a pena, era o próprio imperador.

Os curacas perdiam poder por diversas razões, mas a colocação de normas incas fez com que a população fosse assimilada a tal ponto que perdiam até mesmo sua identidade cultural, migrando completamente para o lado dos incas.

"Muito mais que a perda de suas antigas prerrogativas, uma lenta e irresistível erosão das bases de seu poder local, que se manifestava pela redução do número de seus súditos — resultante de deslocamentos populacionais cada vez mais significativos —, parecia condená-los a esse fim", conclui o pesquisador pela Universidade de Paris, Henry Favre.

O SAPA INCA

O filho do deus Sol era o semideus na terra. Sua figura era tão imponente que provocava terror em todos os inimigos e trazia paz e respeito aos corações que o serviam. Seus súditos eram honrados se pudessem permanecer em sua presença.

O termo Sapa Inca, que significa em tradução livre "Inca Inigualável" ou "Imperador Supremo", era o nome dado ao filho do sol. Quando subia ao trono, o Sapa Inca casava-se com sua irmã, tradição vinda desde a época do fundador do império inca.

Por sua vez, o filho mais velho do casal estaria destinado a ser o futuro imperador e herdeiro oficial da linhagem sanguínea do deus Sol. O imperador podia ter outras esposas e se casar mais de uma vez, no entanto, seus outros filhos não possuíam direito a herdar a posição.

A principal tarefa do imperador era a de cuidar do império, de seus súditos e da população que trabalhava para ele e seu pai, o deus Sol. Para isso, todos os Sapas Incas construíam seus palácios na capital, Cusco.

Em seus aposentos, estavam rodeados de objetos pomposos feitos e concebidos especialmente para eles. O imperador e sua família comiam com utensílios e objetos feitos de ouro puro e suas refeições eram feitas sozinhas, enquanto se encontravam em seus aposentos, que eram constantemente vigiados.

Quando morria, seu corpo era preservado e permanecia dentro do palácio, e continuava a ser servido pelos seus subordinados, que guardavam seus restos mortais exatamente como faziam em sua vida. Uma vez ao ano, após a morte do governante, sua múmia era vestida com as melhores roupas e levada em procissão até o templo do Sol.

Manco Capác, o primeiro Sapa inca

4
OS CONDUTORES DA CIVILIZAÇÃO

TODO IMPÉRIO PRECISA DE UM LÍDER, E COM OS INCAS NÃO FOI DIFERENTE. SEUS IMPERADORES TOMARAM DECISÕES QUE MUDARAM O DESTINO DO IMPÉRIO

Por decreto desses imperadores, foi possível a criação de cidades nas mais diversas regiões do Peru, além de complexos sistemas de plantio e irrigação, técnicas que inclusive são utilizadas ainda hoje, com equipamentos modernos.

O povo foi responsável, sob a tutela de grandes imperadores, a construir templos monumentais ao deus Sol e aos outros deuses. Dentro desses templos seus imperadores tiveram um tratamento especial para seus corpos mesmo após a morte.

Pouco a pouco, esses homens alteraram o rumo da maior civilização latino-americana e colocaram em jogo a vida de mais de 10 milhões de pessoas. Confira agora um pouco da vida e da história dos imperadores incas e de seus governos.

MANCO CAPÁC

Como já foi falado, Manco Capác foi o fundador do império inca, e um dos imperadores mais importantes, uma vez que foi quem estabeleceu os fundamentos dos rituais, dos pensamentos e dos afazeres incas.

Seu nome significa, na língua de seu povo, "Senhor Poderoso". Foi casado com Mama Ocllo, com quem teve filhos que mais tarde herdaram o império das mãos do pai. É interessante notar que as histórias míticas que contam sobre a origem do primeiro inca, dão ênfase a como ele se tornou um ser semidivino.

No entanto, a principal missão do inca era a de "civilizar" os povos bárbaros que viviam no Peru, e assim tirá-los de uma vida de brutalidades. De figura messiânica, os mitos incas o tratam como o salvador dos povos andinos, apesar de descobertas arqueológicas sobre Tiahuanaco sugerirem que civilizações com o mesmo nível de organização social e tecnologia já haviam passado pela região séculos atrás.

A figura messiânica de Manco Capác é de certa forma proporcional. Os relatos sobre seu governo, escritos pelos cronistas espanhóis da época, dizem que Manco e Mama Ocllo após andarem por regiões próximas ao lago Titicaca, convertendo povos ao culto do deus Sol como caminho para o divino, se estabeleceram na região onde está a cidade de Cusco, na qual Manco ajudou a fundar em aproximadamente 1200 d.C.

O imperador de Cusco, como primeiro ato, dividiu a cidade em Hanan Cusco, sendo esta a parte alta, e Hurin Cusco como a parte baixa, mais militarizada. Feita essa divisão, o imperador deu início ao expansionismo territorial, organizando uma série de caravanas para as tribos bárbaras a fim de convertê-los em súditos do deus Sol.

Com apoio militar, uma vez que era incerto o sucesso da branda tática de convencer os povos pelo palavreado, Manco conquistou novas terras, novas tribos e fundou novas cidades as quais povoou com pessoas de outras regiões.

A estratégia do governante, ao povoar as novas cidades com pessoas de todas as regiões, era a de diluir etnias, a fim de que a mescla de culturas não desse forças para nenhuma específica, e assim não houvesse rebeliões.

A maioria das cidades fundadas por Manco Capác eram em regiões extremas, desérticas ou já habitadas. As pessoas que ficavam para ensinar a religião e os costumes incas, bem como os outros povos que se mudavam para a região, a fim de diluir as etnias, eram chamadas de *Mitmacs*, que significa "colonos", na língua inca.

Um dos relatos de Garcilaso, cronista espanhol do século XVI, conta que, em suas expedições civilizatórias, Manco se deparou com uma tribo chamada Caiuña, que se gabava de ter seus descendentes saídos dos rios e lagos da região.

Manco demorou longos dias e noites a convencer esses bárbaros de que o deus Sol era mais importante, pois além de seu pai, era o Deus dos homens. O povo então caiu na lábia do imperador, pois já conheciam povos que se gabavam de histórias semelhantes.

Após doutrinar o povo, ensinou-os a cultivar as terras e a confeccionar roupas e calçados, além de construir edifícios para se abrigarem do frio e da chuva. Também instruiu a todos que raspassem seus cabelos, e que não fosse deixado mais que um dedo de altura.

Também foi deste imperador que veio o costume de furar as orelhas e colocar enfeites grandiosos nos orifícios. Manco também instruiu que os furos e enfeites de seus súditos não deveriam ser maiores ou mais brilhantes que os dele ou de sua família, para que não fossem confundidos com a nobreza, mostrando já desde o início uma clara segregação entre as pessoas com "sangue divino" e os plebeus.

Segundo os relatos de Garcilaso, o primeiro grande Sapa Inca reinou entre os anos de 1200 e 1230 d.C., morrendo neste mesmo ano. Algumas versões da história de seu reinado dizem que o primeiro imperador virou uma Huaca (ídolo de pedra) e que por isso não foi guardado em Cusco.

Outras versões dizem que Manco teve sua múmia guardada na capital imperial até o reinado de Pachacutec, que mandou levar a múmia a um templo situado às margens do lago Titicaca.

SINCHI ROCA

Sinchi Roca foi o primogênito de Manco Capác e, após a morte do pai, herdou o império lendário que estava em franco crescimento naqueles tempos. Seu nome significa, de acordo com a tradução do dialeto inca, "Guerreiro Valente".

Como primeiro ato ao assumir o trono, casou-se com uma irmã a fim de não manchar a linhagem real com sangue plebeu. Essa união incestuosa era firmada de acordo com a crença nos deuses incas.

Seu pai havia se casado com sua própria irmã, a fim de repetir na terra o mesmo casamento divino que acontecia nos céus entre o Sol, representado por ele, e a Lua, representada por uma irmã, já que os incas acreditavam que os astros seriam irmãos e casados em sua vida celeste.

Existem historiadores, como o pesquisador Henri Favre, que contestam essas uniões incestuosas e dizem que elas só começaram a surgir a partir do reinado do imperador Pachacutec, e que, anteriormente, as uniões eram entre os filhos do imperador inca e as filhas de alguns líderes tribais, curacas, da região.

Essas uniões com as filhas dos líderes tribais foram adotadas por Sinchi Roca, que usufruía do poder de ter várias esposas, como estratégia política, a fim de fortalecer as alianças entre tribos com o recém-formado império inca, que em tão pouco tempo de vida não possuía muita força.

A mando do imperador, a nobreza inca e os líderes tribais foram reunidos a fim de estabelecer um exército para a expansão dos territórios incas. Sinchi Roca, seguindo os passos de seu pai, usou do mesmo argumento da "civilidade" para expandir seus domínios.

O grande Sapa Inca, muito astuto, utilizou de um sentimento de união e patriotismo deixado pelo seu pai antes de falecer, que havia decretado que todo o povo e não somente o imperador era inca (Filho do Sol), a fim de fortalecer a união entre povos de diversas etnias e colocá-los todos sob as asas de um bem maior.

Após expedições com o exército inca para Kollasuyu, região sul do império, Sinchi mandou construir uma fortaleza para que delimitasse os extremos do território.

Alguns pesquisadores, como Geoffrey W. Conrad e Arthur A. Demarest, autores da obra *Religion and empire: the dynamics of aztec and inca expansionism*, afirmam que as tradições orais incas apenas enalteciam ou exageravam desmedidamente alguns relatos sobre seus governantes.

Esses dois autores também afirmam que grande parte dos contos serviam apenas para enaltecer a propaganda imperial inca, como forma de disputar a hegemonia de Cusco, habitada por diversas tribos, e que esses relatos, na verdade, não passam de mentiras de um chauvinismo imperial inca.

Outras versões da história de Sinchi Roca sugerem que ele não foi um guerreiro nada valente (como seu nome sugeria) e que passou boa parte dos anos de seu governo, que durou de 1230 a 1260 d.C., defendendo a recém-fundada Cusco dos ataques tribais de outras etnias.

LLOQUE YUPANQUI

O terceiro grande Sapa Inca, filho de Sinchi Roca e neto do fundador do império, chamou-se Lloque Yupanqui. Seu nome significa "Canhoto Memorável" e começou a governar o império por volta de 1260, logo após a morte de seu pai.

Alguns relatos históricos afirmam que Lloque Yupanqui não era o primogênito, mas sim o segundo na linha de sucessão. Por motivos que permanecem desconhecidos até hoje, não se sabe por que ou como teria chegado ao poder.

No entanto, logo após assumir o império, reuniu um exército de mais de 7 mil homens e deu continuidade às campanhas de expansão territorial que ao explorar zonas desconhecidas se deparava com anfitriões hostis e ferozes.

Na região de Cana, por exemplo, Lloque só precisou enviar uma mensagem para que os curacas locais aceitassem, pacificamente, a condição de subordinados do império inca. Porém, regiões como Ayauiri já ofereceram bem mais resistência, sendo necessário o uso de táticas militares para convencê-los.

O conflito entre os incas e as tribos dessa região durou muito tempo, até que, insultados e agredidos, os incas tomaram medidas um pouco mais eficazes na luta contra os ferozes guerreiros tribais.

Após rechaçar as diversas invasões feitas pelos bárbaros a seus campos de concentração, os incas montaram um cerco tão eficiente que simplesmente o inimigo ficou sem conseguir suprimentos, tendo sido derrotado pela fome.

Assim como seu pai, Lloque construiu uma fortaleza nas dependências das terras mais longínquas que havia conquistado e voltou satisfeito, sendo recebido com grande festa. Ele era um estrategista nato, e percebia quando deveria deixar o boca a boca entre as tribos agir por conta, a fim de espalhar a fama e o poder que os incas tinham por toda a região.

Segundo relatos de historiadores como Jean Claude Valla, por exemplo, o grande imperador falhou em um dos aspectos da vida pessoal, o casamento. Relatos de cronistas espanhóis afirmam que sua esposa irmã vivia em choros constantes e que a única solução para eles era a bebedeira, possível motivo para que o imperador ficasse longos períodos fora, em conquistas.

Lloque Yupanqui passou seu trono em 1290, realizando um reinado de aproximadamente 30 anos, assim como seus antepassados.

MAYTA CAPÁC

Mayta Capác começou seu reinado em 1290, e assim como todos os seus antepassados, sucedeu seu pai que faleceu no mesmo ano. Seu nome, de acordo com o dialeto inca, significava "onde está o poderoso".

Mayta foi, acima de um grande imperador, um exímio guerreiro, apaixonado e de ímpeto indomável. Ele prosseguiu com as conquistas feitas um dia por seus antepassados, estendendo seus domínios até as margens do lago Titicaca e além.

As lendas que chegaram aos ouvidos dos cronistas espanhóis sobre sua pessoa não pouparam esforços para descrevê-lo como um guerreiro mítico. Entre as mais inacreditáveis características, estavam a que, com 1 ano de idade, Mayta já possuía a força e o tamanho de uma criança de 8 anos.

No entanto, deixando de lado a infância prodigiosa do governante, Mayta utilizou o mesmo pretexto religioso de espalhar a civilidade e a crença no deus Sol para expandir os domínios incas, dando início a uma nova era de incursões.

Reunindo um exército de 12 mil homens, o grande Sapa Inca fez de sua primeira conquista a região do lago Titicaca, de onde partira o primeiro inca. Esta e mais algumas outras conquistas posteriores foram pacíficas e sem baixas.

A história mudou quando Mayta e seu grande exército entraram em contato com a tribo dos Cac-yauiri, que ao verem os incas se aproximarem, não mediram esforços para repeli-los.

Esta tribo buscou abrigo em um monte, se entrincheirando dentro de uma das cavernas com toda a comida que encontraram no momento, e ficaram por mais de 50 dias ali, esperando o inca ir embora.

Mesmo com o clima hostil, Mayta Capác esperou pacientemente e montou um cerco em volta do local para impedir uma fuga ou a busca por suprimentos, o que reduziu a força dos bárbaros até que eles se curvassem ao imperador.

AS CONQUISTAS E A GUERRA DE HUAICHU

Mayta retornou a Cusco depois desse episódio de Cac-Yauiri. Contudo, seu espírito desbravador não conseguia se segurar nos limites do palácio, e logo o imperador já estava em outra incursão para dominar território hostil.

Partindo com um exército, conquistou as regiões de Llaricasa, Sancáuan e Pacasa, até que se deparou com um povoado chamado Huaichu, no qual um exército local já o aguardava com as armas em punho.

O inca esperou pacientemente que os nativos percebessem seus erros e começassem a adorar o deus Sol, além de montarem um cerco que privasse o povo de alimentos, água e outros itens básicos.

Sem resultados, o inca perdeu a paciência e desferiu uma investida feroz sobre a população, os curacas e seus generais. O confronto durou um dia inteiro, com o imperador à frente de seus homens, liderando-os, até a vitória que não foi nada fácil.

O próprio A.S. Franchini, escritor e pesquisador da história dos incas, em sua obra *As melhores histórias das mitologias asteca, maia e inca*, afirma como a batalha havia sido dura, e como os incas perderam mais de 500 de seus soldados.

"Seus inimigos, porém, não estavam na idade da pedra, possuindo, segundo Bertrand Flornoy, 'cassetetes de bronze que estouraram mais de 500 crânios incas'. Mas, em contrapartida, como acabaram por perder nessa mesma batalha mais de 6 mil homens, os curacas locais determinaram, afinal, pedir misericórdia ao inca", afirma o pesquisador.

Calçadas de pedra foram outra das medidas tomadas por Mayta após sua vitória em uma das batalhas mais sangrentas da história inca, o que, além de ajudar a espalhar a fama de governante civilizador, encantou a todos que passavam por ali, provando as vantagens de pertencer aos incas.

Suas aventuras e guerras duraram mais de três anos. Já cansado da rotina nos campos de batalha, decidiu encerrar as incursões e retornar a Cusco, de onde não saiu mais, até sua morte. Seu reinado durou até 1320, completando mais 30 anos de governo, assim como todos os outros.

CAPÁC YUPANQUI

Sua ascensão ao trono passou por um processo conturbado em que, após a morte de Mayta Capác, seu filho Tarco Huaman foi indicado para assumir o trono, no entanto, foi impedido e teve de passar as chaves do império a seu primo Capác Yupanqui, que significa "Poderoso e Memorável".

Seu reinado começou em 1320 e, com uma guarnição de mais de 20 mil homens de seu exército, partiu para fiscalizar e expandir as terras incas como já era do feitio de todos os imperadores. O povo inca acreditava que era uma questão de honra e dignidade, além de prova de uma boa governança, a aquisição de novas terras e a vinda de novas etnias para o culto ao deus Sol.

Rumando para Kuntinxuyu, mandou fazer nas bases do rio Apurimac uma nova ponte, maior e mais resistente que a de seu antepassado, a fim de provar para os povos que era mais capaz que seus antecessores.

Suas técnicas de persuasão e até mesmo as militares foram todas herdadas de outros governos, o que implicava em mensageiros transmitindo sua chegada e o convencimento das aldeias por meio de promessas e palavras brandas.

Caso a abordagem pacífica, que era como de costume respeitada até o último momento, ou até o primeiro brado de guerra, não funcionasse, o imperador realizava o cerco territorial que privava os sitiados de comida, água e outros suprimentos até sua completa conversão à tutela inca.

Conquistou as províncias de Yanahuana, Aimara e Umasuyu, sendo esta última tribo um motivo particular de demonstração de poder. Relatos da época espanhola dizem que a tribo estava pronta para guerrear quando viu o tamanho do contingente militar inca, implorando por misericórdia logo em seguida.

Após conquistar todos esses territórios, Capác voltou a Cusco e se dedicou à administração da capital por mais de quatro anos, e quando houve a necessidade de buscar novas conquistas, mandou em seu lugar um representante, seu irmão Auqui Titu.

Seu irmão, por sua vez, conseguiu sem nenhum esforço a aliança da tribo dos Quéchuas, vindos da província de Cotapampa. É dito por historiadores, e como ilustra Franchini em sua obra, *As melhores histórias das mitologias asteca, maia e inca*, que os curacas desta tribo só migraram para a tutela inca por estarem cansados dos tiranos de outras tribos.

Segundo o autor, era desejo dos curacas quéchuasver-se livres do domínio dos povos vizinhos de Chanca e Hancohuallu, que desde outros períodos os exploravam. Os sujeitos da exploração se alternam quando da chegada dos espanhóis, ocasião em que, cansados da exploração inca, os povos originários andinos iriam receber de braços abertos os seus "libertadores".

Algumas versões da história sugerem que este imperador morreu envenenado após uma trama envolvendo Inca Roca, que de fato foi seu sucessor. A certeza é de que, de fato, seu reinado acabou em 1350, quando veio a falecer.

INCA ROCA

O reinado do sexto imperador inca começou em 1350, e seu nome, de acordo com o dialeto local, significa "Filho do Sol Valente". A historiografia moderna credita a este imperador e aos seus sucessores o título de inca, e aos antepassados o título de Sinchi, que quer dizer guerreiro ou chefe militar.

Inca Roca seguiu o mesmo roteiro de seus antepassados e fez uma excursão de três longos anos pelas regiões do Tahuantinsuyu, reunindo mais de 20 mil guerreiros para recolocar suas expedições de conquista nos trilhos.

Este, mais uma vez, fez outra ponte sobre o rio Apurimac, melhor e maior que a de seu antecessor a fim de fazer seu exército poder se mover pela região de forma mais eficiente. A seu ver, cruzar o rio em balsas era algo indigno demais a ser feito pelo imperador e seu poderoso exército.

Entre suas principais criações, estão a de escolas e instituições de ensino para as crianças da alta nobreza, chamadas de

Yachahuasi. Elas foram feitas a pedido da tribo dos Chancas, que ao serem dominados pelos incas, requisitaram que não houvesse mais sacrifícios com as crianças, e que só assim poderiam seguir o imperador.

Essa tribo, dos chancas, posteriormente iria se tornar o principal inimigo dos incas, e realizaria contra os filhos do sol uma das maiores guerras daqueles tempos. Contudo, foram em um primeiro momento dominados e recebidos de bom grado nos braços do grande inca.

Quando retornou a Cusco e permaneceu lá, até sua morte em 1380, mandou às expedições o príncipe herdeiro e futuro imperador inca Yahuar Huacac, que assumiu o trono no mesmo ano.

YAHUAR HUACAC

Esse imperador, por sua vez, foi tido com certo pesar no trono. Isso porque o sétimo inca e todos ao seu redor acreditavam que quando havia nascido, o deus Sol o amaldiçoou, fazendo com que chorasse sangue. Daí seu nome de Yahuar Huacac, que significa literalmente "aquele que chora sangue".

Segundo o próprio Garcilaso, em suas crônicas do século XVI, não se sabe se o episódio do sangue havia acontecido de fato no seu nascimento, ou quando já era uma criança de 3 ou 4 anos. No entanto, o futuro desastroso que aguardava este imperador foi previsto pelos feiticeiros e xamãs do império.

Em seu governo, foi conhecido como um rei covarde e ausente das conquistas e batalhas. Seu temor para seu futuro e o assombro da maldição jogada nele pelo deus Sol foram demais para Yahuar suportar. Com isso, em todas as conquistas e expedições, seu irmão tomou seu lugar, tendo obtido vitórias em seu nome.

Era também um péssimo administrador, não conseguindo sequer resolver problemas caseiros com seu filho, que foi exilado e castigado a permanecer como um reles pastor do gado do Sol, pasto destinado ao deus Sol, em um ato extremo de incompetência de seu pai.

Alguns relatos transmitem que Yahuar morreu após uma rebelião dos Cuntis, um dos povos subjugados pelos incas, entretanto, outra versão diz que seu reinado terminou em 1400 após ter sido exilado por seu filho Viracocha Inca, logo depois de ter fugido de uma das maiores guerras incas já travadas, justificando assim seu apelido de "Inca Chorão".

O IMPERADOR VIRACOCHA

Viracocha assumiu o trono logo em 1400, após a morte do antigo imperador e como primeiro ato construiu um templo feito à semelhança do lugar onde o fantasma lhe apareceu, para homenagear o suposto tio morto que lhe apareceu no sonho, com uma grande estátua de pedra feita com as mesmas características do suposto parente.

A outra homenagem foi a bravura dos incas, que não deveria ser manchada pelo ato covarde do antigo imperador, por isso, Viracocha construiu duas estátuas de águias no lugar onde encontrou seu pai, já em fuga. Uma delas acuada, com as asas fechadas e a cabeça baixa, e a outra com uma expressão feroz e as asas abertas em direção a Cusco, representando o resgate de Viracocha ao povo inca.

Como campanha política, fez a mesma coisa de seus antepassados, visitou todo o reino e em seguida montou uma comissão e um exército para liderar na aquisição de novas terras. Nomeou como capitão geral da expedição seu irmão Pahuacmaita Inca.

Pahuacmaita, após uma longa campanha de três anos em nome de seu querido irmão Viracocha, voltou a Cusco e contou ao imperador o tamanho do império após as conquistas.

De tão entusiasmado que o imperador ficou, ele mesmo tomou a iniciativa de dominar terras mais ao norte do império, liderando desta vez por ele mesmo. Nessa direção, encontrou com o local em que permanecia a tribo dos Chancas, que desde aqueles tempos até os dias de hoje, utilizam a palavra Auca ao referir-se a si mesmos. Auca significa "traidor".

Após uma festa, cheia de sorrisos amarelos, dada pelos Chancas, o imperador e seu exército foram dominar as terras vizinhas. Hancohuallu, líder dos Chancas e hóspede do imperador inca em Cusco, estava já cansado daquela vida de vassalagem.

Com isso, organizou a fuga e a independência de mais de 8 mil índios que antes eram vassalos dos incas. Seu objetivo não era nada nobre, queria apenas voltar a tiranizar e governar de forma absoluta como fazia antes em seu povoado, ao contrário de ser tiranizado pelos incas.

Esse episódio ficou conhecido como o maior êxodo que houve no império em todos os tempos, e foi apelidado mais tarde pelos historiadores como "Êxodo Chanca". Após esse triste acontecimento, Viracocha designou diversos cidadãos de diferentes etnias para ocuparem as terras deixadas por esse êxodo.

Após sua morte, em 1438, o nobre decidiu dar o título de Pachacutec, que significa literalmente "o reformador do mundo", a seu filho, praticamente rebatizando-o. O imperador havia tentado dar esse título a si mesmo, mas o povo não conseguia chamá-lo de outro nome se não aquele que havia feito sua fama, Viracocha Inca.

PACHACUTEC, O ALEXANDRE MAGNO DO SUL

Pachacutec assumiu o trono do império inca em 1438, e é tido por muitos historiadores como o primeiro imperador a fazer com que o império crescesse a ponto de ser conhecido posteriormente como "Império Histórico".

De acordo com a versão da história inca do poeta espanhol Garcilaso de la Vega, Pachacutec teria sido uma espécie de "Hamurabi Andino", legislando e administrando todas as instituições incas de forma tão extraordinária que seus feitos marcariam o início do império em sua dimensão maior. Não por menos, recebeu o título de "Reformador do Mundo".

Isso graças a visitas aos seus territórios, em que ordenava a construção de muitos templos, e principalmente pela visão de infraestrutura e de política muito centrada que possuía e aplicava em sua gestão.

Visando um melhor abastecimento das populações que não ficavam próximas da capital, ordenou a construção de muitos aquedutos para que o povo tivesse uma melhor produção agrícola e consequentemente mais alimentos.

Nessas mesmas províncias distantes, construiu fortalezas e depósitos de alimentos, além de se mostrar muito tolerante com os cultos e tradições que estes povos, agregados dos incas, possuíam, permitindo-os desde que não ferissem a imagem do culto dos incas.

Alguns dos povos que Pachacutec tentou civilizar possuíam um politeísmo direcionado às pedras. Uma tribo da região de Huamachuchu tinha como deuses pedras de diferentes cores, e que adoravam separadamente, uma vez que não podia-se juntar diversas cores em uma mesma pedra a menos que houvesse divindade nela.

A estratégia do grande administrador de Cusco era convencê-los da melhor forma possível, sem derramar sangue, apesar de que muitos povos foram conquistados com batalhas e cercos, já que esta era uma tradição no império, praticamente.

Para isso, mandou construir casas em que os nativos pudessem habitar e fugir das intempéries do tempo, como homens, e não como feras, além de deixar para trás alguns ministros e sacerdotes para comandarem e instruírem a educação inca.

Pachacutec também fez uma remodelação geral em Cusco, a qual ornamentou o templo Coricancha, no lugar do antigo Inticancha, bem como melhorou escolas e despovoou os arredores da capital com a finalidade de transformar as terras em um campo largamente cultivável.

Realizou reformas religiosas para que o deus Viracocha não fosse lembrado como rival de Inti, e que o deus Sol pudesse ser venerado de forma saudável.

O imperador morreu em 1471, ocasião em que mais de 2 mil crianças foram sacrificadas em um grande Capác Cocha. Foi visto por muitos como um grande, e talvez o maior, administrador que o império já teve, além de guerreiro e sábio.

TUPAC YUPANQUI E O DOMÍNIO ABSOLUTO DO ESTADO

Tupac Yupanqui significa, em Quéchua, "luminoso e memorável" e seu reinado começou em 1471, logo após a morte de seu antecessor, como já era tradicionalmente feito pelos incas. No entanto, seu reinado fracassou durante as missões de expansão territorial, para além dos limites da civilização.

Isso porque Tupac Yupanqui teve como grande adversária a imponente floresta amazônica. A massa densa de vegetação e floresta bruta que os incas daquele período tiveram de enfrentar não era similar a nenhuma outra batalha ou exploração que tiveram.

Acostumados a guerrear em ambientes amplos, os andinos não tiveram a menor chance de escapar da fauna selvagem e altamente perigosa que a região possui ainda hoje, bem como de saírem ilesos das armadilhas feitas pelo terreno.

Os andinos tiveram que enfrentar emboscadas em um território inóspito e desconhecido, que os levava à exaustão, exposição fácil ao inimigo e ao fracasso, que historiadores comparam à derrota acachapante dos norte-americanos na Guerra do Vietnã, ou até mesmo a naufrágios imperiais ocorridos ao longo da história.

No fim das contas, os próprios incas desistiram do projeto de expansão territorial e se encarregaram de divulgar que os habitantes da floresta amazônica seriam criaturas tão estúpidas que não seria digno de civilizá-las.

HUAYNA CAPÁC

Em 1493, assim como os antecessores, Huayna Capác assumiu o império logo após a morte de seu pai e com isso deu sucessão à linhagem real. Seu nome significava na língua quéchua "jovem poderoso".

De poderoso, no entanto, o jovem não tinha nada. Seu reinado foi fraco e sem nenhuma conquista que o exaltasse. Muito pelo contrário. Em meio a rebeliões e desordens do povo do norte, foi que o jovem imperador passou muitos dos seus dias.

Sempre misericordioso e, quando zangado e castigador, não exercia um castigo tão fervoroso. Os povos "ameaçados" pela conquista deste líder não o respeitavam. Em uma de suas primeiras viagens, ao chegar ao Equador, logo se apaixonou por uma das filhas do rei local.

Dessa união nasceu seu filho Atahualpa, que ficou conhecido como o filho bastardo, uma vez que o herdeiro legítimo do trono seria seu primogênito, Huascar. Esse fato levou o império à decadência e culminou na sua dissolução.

Algumas das rebeliões eram causadas por povos que decidiam abandonar a fé inca, exaltando objetos que consideravam deusas ou deuses, como esmeraldas, por exemplo. Outros provocavam a rebelião matando e devorando a carne de inspetores e autoridades incas.

É difícil dizer ao certo a quantidade de revoltas que tiveram durante seu reinado, fazendo com que o inca estivesse sempre tendo de apartar alguma briga entre o império e uma tribo revolta.

Ao final de sua vida, Huayna foi responsável pela decisão que deu início ao fim do império com sua iminente separação. Seu filho preferido era justamente Atahualpa, o bastardo nascido de uma esposa que não fosse a Coya (esposa-irmã) do imperador.

Não podendo escolher entre seu primogênito e o seu filho preferido, Huayna tomou a decisão. Fez de seu filho bastardo Atahualpa governante absoluto de Quito e das terras altas situadas nas regiões que hoje são o Equador e um pouco do norte do Peru.

De seu primogênito, fez dele imperador inca, e como grande Sapa Inca, governaria todo o restante das terras. Como a decisão foi única, e sem antecedentes, os dois filhos não podiam aceitar que o pai houvesse dividido o império em dois, e muito menos a população inca como um todo.

Huayna morreu em 1525, vítima de uma doença misteriosa que mais tarde foi provada ser varíola, uma das muitas pragas que os espanhóis trouxeram consigo. No entanto, o destino do império inca já estava selado.

HUASCAR

Huascar assumiu o trono de grande Sapa Inca em 1525 após a misteriosa e tenebrosa morte de seu pai. Seu nome na língua quéchua significa "corrente de ouro", por causa da lenda em torno da relíquia sagrada que inspirou seu nome.

ATAHUALPA

Atahualpa, que quer dizer na língua quéchua "guerreiro valente", assumiu o trono em 1532. Como primeiro ato, reuniu todos os que pudessem ter sangue real, entre as esposas, amantes e filhos bastardos de todos os antigos imperadores incas que pudessem estar vivos, e os matou.

Todo o tipo de crueldade foi usada para assassinar e limpar o sangue real, puro ou impuro, da face do império para que não houvesse opositores a reclamar o título conquistado por Atahualpa.

Degolamento, enforcamento, afogamento, arremesso do alto de um penhasco ou simplesmente execução com armas de combate ou perecimento por fome eram as formas mais comuns que o inca encontrou para praticar sua vilania.

O único erro do imperador foi deixar vivos os incas que apoiavam seu irmão Huascar, que logo foram servir os espanhóis, distintos viajantes de terras longínquas. Com uma emboscada planejada durante longos dias, os espanhóis derrubaram Atahualpa de sua liteira real e o capturaram, matando entre 2 e 5 mil incas no processo.

Após receberem mais de 11 toneladas de ouro pelo resgate do imperador, optaram por executá-lo, estrangulado no dia 3 de agosto (ou 26 de julho) de 1533.

TUPAC HUALLPA

Tupac Huallpa foi o primeiro de outros cinco imperadores incas que não dispuseram de poderio militar ou político nenhum, uma vez que seu povo e exército já estavam subjugados aos espanhóis.

Sua colocação no poder, no ano de 1533, foi pelo simples fato de que não poderia faltar um príncipe herdeiro do trono inca. Sem legitimidade, Tupac Huallpa foi designado pelos espanhóis para ser o novo inca, no entanto, se prestava mais a ser o príncipe fantoche de um império inexistente.

O próprio líder da expedição espanhola, Francisco Pizarro, havia colocado Tupac no poder, porém este não duraria muito. O inca partiu de Cajamarca e marchou rumo a Cusco, mas nunca terminou a viagem.

Relatos históricos afirmam que Tupac morreu vítima da grave epidemia, trazida também pelos europeus em seus navios cheios de ratos e doenças, que se alastrava por toda a região. Outros historiadores afirmam que o imperador pode ter sido vítima de algum grupo aliado a Atahualpa, que ainda atuava na região.

MANCO INCA

Com apenas 16 anos de idade na época, Manco II foi escolhido também pelo próprio Francisco Pizarro, como sucessor de Tupac Huallpa e fantoche da era de conquistas espanholas que havia se iniciado há pouco.

Manco foi o primeiro "inca rebelde" a nascer no meio dos espanhóis, após sofrer a humilhação de ter de entregar sua esposa a um dos comandantes espanhóis.

Graças a ele, surgiram os "incas de Vilcabamba", que era um movimento de resistência, em Vilcabamba, no qual reis rebeldes montaram sua base de operações contra os espanhóis a fim de reconquistarem sua glória perdida.

Após mais de um século de tirania e opressão contra as populações andinas, finalmente os incas tentaram se livrar da pecha de tiranos.

Os espanhóis capturaram novamente Manco, após uma frustrada tentativa de fuga, e cometeram alguns dos atos mais cruéis com ele, suas irmãs e com o orgulho inca. Humilhado, Manco retornou a Cusco descalço e preso ao rabo de um cavalo, com uma corda no pescoço. Na prisão, foi torturado pelos espanhóis e a todo momento era ameaçado de ser queimado vivo e chantageado para revelar onde havia mais ouro no Peru. Nem sua família foi poupada. Suas irmãs também foram maltratadas, violentadas e entregues aos espanhóis para servirem a eles.

O imperador inca decidiu entregar o ouro aos espanhóis, que mandaram uma escolta acompanhar Manco em sua coleta. No entanto, dessa vez ele retornou sem escolta e com um exército de 200 mil homens, contra aproximadamente 200 espanhóis que estavam acampados.

Contudo, os espanhóis foram vitoriosos, fazendo com que o imperador inca se refugiasse em Ollantaytambo. Manco foi morto em 1545, nas florestas de Vilcacamba, em uma região bem próxima de Machu Picchu, enganado por sete espanhóis que se diziam inimigos de Pizarro.

SAYRI TUPAC

Segundo comandante inca dos exércitos rebeldes de Vilcabamba, Sayri Tupac era filho de Manco II e assumiu seu posto de comandante e imperador em 1545 após a morte do pai nas florestas próximas a Machu Picchu.

Aos 9 anos de idade, já assumiu as funções de imperador e recebeu diversas propostas dos colonos espanhóis para regressar a Cusco como um mero camponês e permanecer lá com um pedaço de terra.

Sayri chegou a aceitar a proposta, mas decidiu voltar atrás e permanecer no centro de operações do exército inca em Vilcabamba. Alguns anos depois a mesma proposta foi feita em 1558 pelo vice-rei do Peru.

Sayri aceitou a proposta e chegou a Lima em uma grande e luxuosa liteira. No entanto, para a surpresa de todos, até mesmo dos espanhóis, Sayri aceitou as bênçãos da igreja católica e se converteu, caindo nas graças dos conquistadores.

Recebeu terras e uma carta do papa Júlio III para que pudesse desposar a própria irmã. Despido de todos os títulos incas e vivendo sob o nome de Diego, Sayri morreu em 1561 de causas até hoje não esclarecidas, apesar das suspeitas de envenenamento.

TITU YUPANQUI

O terceiro imperador inca do exército rebelde de Vilcabamba sucedeu Sayri, que havia se convertido à fé católica naquele mesmo ano. Seu reinado começou em 1558, e com o pé esquerdo.

Reunindo homens e outros guerreiros vindos das florestas amazônicas, Titu teve nos indígenas, considerados infra-humanos e indignos, a última esperança de fazer florescer novamente o pouco que restava do império inca.

Seu exército estava reduzido a alguns poucos homens e a uma nobreza ainda mais reduzida. Como primeira medida, internou seu irmão e legítimo herdeiro do trono Tupac Amaru em uma Acllahuasi, local onde ficavam as virgens do Sol, que eram mulheres especializadas em atividades produtivas, como, por exemplo, no preparo da chicha.

Desacreditando a imagem do irmão, colocou o apelido de Uti em Tupac Amaru, que significa "bobo" de acordo com a língua Quéchua, para assim se manter no poder. Obrigando povoações vizinhas a plantarem coca e outros produtos que depois revendia, e com o dinheiro obtido, comprou armas e outros aparatos do arsenal espanhol, conseguindo ser uma ameaça potencial aos europeus.

Contudo, em 1565, recebeu um emissário espanhol para negociar e já no ano seguinte estava convertido ao catolicismo. Sendo batizado de Diego de Castro, conseguiu uma autorização para continuar com seu título de inca, apesar de este não significar mais nada. Titu Yupanqui faleceu em 1571, vítima de uma grave pneumonia.

TUPAC AMARU

Tido como o último inca, recebeu seu título de imperador em 1571 e, como primeira medida, aprisionou e matou frades e espanhóis, acusando-os de assassinarem Titu Yupanqui. Os espanhóis, para evitarem uma represália, invadiram o esconderijo do imperador e o capturaram.

Carregado de grilhões, Tupac Amaru chegou a Cusco em 1572, e jamais saiu. Convertido ao cristianismo contra sua vontade, o último imperador foi executado com dignidade em uma plataforma montada em uma praça. Decapitado, sua cabeça foi enterrada nas dependências de uma capela da catedral.

Plaza de Armas de Cuzco

CUSCO: A CAPITAL DO IMPÉRIO

O coração da cidade era composto pela praça Aucaypata e pelo Templo do Sol. Zonas e conjuntos urbanos foram construídos a partir destes dois pontos centrais e a região envolta deles era densamente povoada.

Os conjuntos de construções no interior das zonas rurais eram espaçados de acordo com uma escala, feita pela unidade de um dia e meio de viagem ou caminhada, o que equivalia a 10 ou 20 quilômetros.

A parte mais densa, no centro de Cusco, era dividida em 12 bairros, sendo eles: Cantupata, Munaysenca, Colcampata, Rimac Pampa, Cauaocachi, Chauquilchaca, Picchu, Huaca Punco, Carmenca, Pulmachupan, Tococachi e Coripata. Nesses bairros mais próximos do núcleo da cidade residiam os curacas e a nobreza.

Cusco é hoje a capital histórica do Peru, a título de respeito e de patrimônio, bem como figura na lista da Unesco como Patrimônio Mundial da Humanidade.

A LÓGICA DA DIVISÃO INCA

A divisão inca das zonas concêntricas estava atrelada a um sistema numérico complexo e que até hoje causa certa estranheza a visão dos estudiosos, acostumados com a divisão e a lógica moderna.

Cusco era recortada em linhas retas chamadas ceques. Elas começavam do Templo do Sol e eram determinadas por alguns pontos de paisagem como os huacas. O número de huacas coincidia com a quantidade de dias do calendário lunar inca, que era de 328 dias.

Algumas teorias modernas creditam que tudo isso foi dividido desse jeito para elucidar como, onde e quando os rituais incas seriam feitos no interior do espaço de Cusco. Outras sugerem que grande parte das huacas e ceques estava alinhada a olhos-d'água, organizando o espaço de acordo com a irrigação das plantações e a distribuição de água ao povo.

OS NÚMEROS INCAS

Na época dos incas, em seus tempos mais áureos, a "grande Cusco" abrigou uma população equivalente a 225 mil pessoas. No núcleo central, região na qual se situavam os templos e praças mais importantes, possuía uma média de 400 habitantes por hectare.

Segundo estudo feito pelo doutor e arqueólogo francês Jean-François Bouchard, para o artigo "Cusco, la cité des róis", mais de 20 mil famílias viviam nas áreas rurais de Cusco, o que equivaleria a aproximadamente 100 mil pessoas.

Ainda de acordo com Bouchard, em seu artigo, dentro dos Acllahuasi, que permaneciam como refúgio e escola das virgens do Sol, poderiam estar abrigadas mais de 3 mil mulheres, enquanto mais de 2 mil guerreiros vigiavam os palácios dos imperadores.

Já em 1543, após a chegada dos espanhóis, foi feito um censo para contabilizar quantos incas o império possuía. Segundo os colonizadores, existiam de 3 a 4 mil moradias em Cusco, enquanto nas zonas rurais esse número ia de 15 mil a 20 mil casas.

Cristobál de Molina, um dos que se encarregaram da tarefa da contagem, chegou a registrar a população de Cusco em torno de 40 mil habitantes na zona principal, e mais 200 mil em seu entorno.

5
A ECONOMIA PULSANTE

MESMO SEM UM SISTEMA MONETÁRIO
OU MOEDA ESPECÍFICA, OS INCAS
FORAM GRANDES COMERCIANTES

O comércio inca era realizado nos grandes mercados regionais e era feito por meio de um sistema de troca complexo, no qual ambas as partes deveriam concordar na troca de bens e serviços, de um modo que o serviço ou bem trocado deveria ser de igual valor do recebido.

As trocas eram feitas geralmente por produtos de igual função, como uma peça de tecido ser trocada por pele de lhama, um pedaço de carne de lhama ser trocado por um pedaço de igual tamanho de carne de peixe ou cerâmica por medicamentos.

Barbara A. Sommervill, sob a consultoria da especialista em arqueologia inca Lucy C. Salazar, na obra *Empire of the inca*, explica de forma mais detalhada como eram as relações de troca.

"Por exemplo, se uma mulher com dor nos olhos precisasse de tratamento médico, ela poderia pagar quatro batatas ou uma peça de pano pelo tratamento feito pelo herborista local", afirmam Barbara e Lucy.

A PESCA E AS ATIVIDADES MARINHAS

Os incas que residiam no litoral exerciam uma função exclusiva de pescadores. Contavam com uma variedade de peixes e outras criaturas marinhas que faziam parte da dieta de seu povo.

Entre os peixes mais consumidos estavam os leões marinhos e as focas. Os mergulhões também faziam parte da dieta, mas seus excrementos podiam ser usados como fertilizante nos campos.

Outros peixes muito consumidos e que faziam parte da dieta até mesmo do imperador eram o atum, o bagre, a sardinha e o peixe rei, além de mexilhões e ostras.

O TRANSPORTE MARÍTIMO

Os transportes aquáticos dos incas não serviam apenas para a pesca, mas para se locomover por curtas distâncias, porém, não tinham condições de navegar em alto mar. Seu uso era restrito aos pescadores que utilizavam os barcos para ir de encontro a uma área que tivesse mais peixes.

Esses barcos, que mais se assemelhavam a jangadas, eram feitos de fibras de juncos que, amarradas e entrelaçadas fortemente, sustentavam toda a estrutura, que ainda possuía velas feitas de tecidos que eram sustentados, por sua vez, por um mastro principal.

Esses transportes, em momentos de grande necessidade, serviam para levar suprimentos e outros tipos de provisões aos exércitos incas desde que estivessem em uma distância aceitável, no entanto, graças a sua fragilidade, esses barcos se limitavam a navegar apenas pela costa.

Jangadas mais leves e menores eram utilizadas para navegação em rios e afluentes, mas sem uma estrutura resistente o bastante, não podiam carregar muitas pessoas nem uma carga muito pesada.

AS FERRAMENTAS DE PESCARIA

Os pescadores possuíam redes de arrasto, as quais levavam para um local um pouco mais distante da praia para capturar os peixes. Suas pontas possuíam boias e pesos eram anexados à rede, fazendo um sistema de contrabalanço para o controle, a manutenção e a recuperação da rede.

Os profissionais que não queriam se aventurar longe da praia podiam pescar os peixes em lagos, rios ou mesmo nas margens do mar com varas de pesca feitas com caniços, uma planta típica da região.

Para abater os peixes que eram pescados, os incas utilizavam uma espécie de porrete feito de pedra ou madeira, que matava com uma única pancada.

A AGRICULTURA INCA

A agricultura andina é classificada hoje como uma das mais ricas do mundo. Os incas souberam tirar proveito das terras que possuíam, de tal forma que mesmo sob as condições rigorosas do tempo, conseguiram prover dezenas de tipos de vegetais e plantas.

Estima-se que mais de 40 espécies vegetais eram cultivadas, entre batata, quinoa, milho, vagem, pimenta, batata-doce, abóbora, cabaça, mandioca, amendoim, abacate e algodão, só para citar alguns exemplos. Cada espécie era cultivada em determinados sítios ecológicos, distribuídos de alto a baixo dos vales e planícies.

AS TÉCNICAS DE TRATAMENTO DA TERRA E DE IRRIGAÇÃO

Os incas pensavam sempre na coletividade, e com isso em mente, organizaram técnicas que permitissem a eles cultivarem toda a variedade de plantas, tubérculos e outros alimentos na elevada altura dos Andes.

Uma das técnicas era a terraplanagem. Eram construídas plataformas em formato de escadaria, uma embaixo da outra como se fossem degraus, para que o nível da terra fosse o mesmo.

Em cada nível era plantado um tipo diferente de alimento e isso era feito em todas as comunidades, pois assim, quanto mais plataformas, mais variedade de alimentos seria possível cultivar em um único local, trazendo uma alimentação mais saudável a todos.

Com a técnica de terraplanagem, existiam também métodos complexos de irrigação. A água era trazida por canais, que por sua vez eram separados de tal forma que cada plataforma e seu respectivo alimento recebiam uma irrigação frequente com a água fresca das geleiras dos montes andinos.

A água podia vir de nascentes e lagos, porém a gravidade executava muito bem o trabalho de distribuir a água das geleiras andinas para o nível mais baixo no qual se encontravam essas plataformas.

AS FERRAMENTAS AGRÍCOLAS

Os incas possuíam técnicas avançadas de irrigação e plantio e não podia ser diferente com as suas ferramentas. Utilizando algumas das mesmas ferramentas que são utilizadas hoje, os incas conseguiam por meio do trabalho coletivo cultivar suas terras de forma rápida e eficiente.

Entre as ferramentas utilizadas, estavam a *chaquitaclla,* uma espécie de arado feito de madeira e que media aproximadamente dois metros de altura. Sua ponta possuía uma base de metal que dava maior estabilidade e definição na hora de delinear os sulcos e as elevações de terras.

A *lampa* era outra dessas ferramentas e era basicamente uma enxada de madeira que auxiliava a *chaquitaclla* na hora de delinear as elevações. As tarefas do campo eram divididas entre homens e mulheres. Enquanto eles trabalhavam no solo com a *taclla,* uma espécie de arado de pé, as esposas transitavam pelo caminho de terra revirado quebrando partes do solo com a *lampa*.

OS ALIMENTOS INCAS

Os povos incas tinham uma produção agrícola bastante rica e diversificada. A variedade de seus alimentos ia desde milho e muitas espécies de batatas até ervas, pimenta, quinoa e carne desidratada de lhama e peixe.

Localidades diferentes do império poderiam comer comidas diferentes, uma vez que o clima variava de região para região, alterando também os métodos de conservação e as necessidades alimentares de cada província.

Regiões costeiras, por exemplo, comiam mais peixe e frutos do mar do que as regiões mais centrais do império. Nas montanhas a dieta era baseada em carne de lhama e de porcos selvagens.

No restante do império, tanto nas áreas mais afastadas da capital como no palácio imperial, todos comiam a mesma comida. A refeição típica de um inca continha carne, grãos variados, batata e milho.

Sal e pimentão eram os temperos típicos utilizados pelos cozinheiros incas que sabiam que o sal era, em quantidade adequada, benéfico à saúde. Desta mesma forma, os incas também consumiam cal mineral para obter o cálcio necessário aos ossos.

Diversas famílias produziam uma espécie de cerveja, muito utilizada em rituais religiosos e considerada a bebida predileta do império inca, a chicha. Essa bebida era feita em urnas de cerâmica que eram enterradas na terra em locais frescos e presas em rios próximos a geleiras para conservar a baixa temperatura.

Além da chicha, a água fresca desses riachos e das geleiras também era consumida pelos incas. Até hoje, o milho é amplamente presente nos hábitos alimentares incorporados pelo povo peruano, que o consome na espiga (*choclo*), em forma de creme, canjica ou pão. Grãos como quinoa e amaranto também são populares e agregam grande valor nutricional à dieta.

A DIVERSIDADE DAS BATATAS

As montanhas andinas foram responsáveis desde os tempos dos incas por produzirem mais de 3 mil tipos diferentes de batatas. Hoje, mais de 5 mil espécies de batatas são desenvolvidas no Peru, que abriga em Lima o International Potato Center, uma organização fundada em 1971, presente em mais de 20 países da Ásia, África e América Latina, voltada à pesquisa e desenvolvimento da batata.

O tipo mais comum de batata consumido no mundo veio diretamente de terras incas. Seu nome científico é *Solanum tuberosum*, e fez parte direta da cultura e da alimentação inca.

Os incas cortavam suas batatas em pequenos e finos pedaços e os colocavam enfileirados ao relento. A cada manhã eles retiravam os pequenos pedaços de gelo que ficavam em cima das batatas, que congelavam todas as noites até ficarem ressecadas.

Essas batatas posteriormente sustentavam as famílias incas, os viajantes, os exércitos e todos os que precisassem, uma vez que era mais fácil conservá-las nos armazéns públicos. No entanto, eles podiam optar por cozinhar as batatas na brasa ou em caldeirões de sopa.

A carne das lhamas também era desidratada, assim como a dos peixes, por um processo no qual ficavam várias noites penduradas em forma de tiras, e quando perdiam toda a água estavam prontas para os armazéns. Até hoje, países como Equador, Peru e Bolívia comercializam e consomem essa carne.

A DIVISÃO DE TERRAS: IMPÉRIO EM CONSTANTE MOVIMENTO

A relação dos incas com a terra era praticamente mística. Seu antepassado Manco Capác, grande figura da história inca, era filho do deus Sol, mas também era filho da mãe terra Pachamama, sua mãe.

Por isso, para os incas, a terra era algo sagrado que deveria ser dividida com sabedoria e com muita consciência. Cada grupo possuía sua determinada porção de terras que deveria ser respeitada para seus propósitos.

Basicamente existiam três divisões fixas entre as terras, sendo estas as principais. A primeira eram as terras do imperador, que também ficava responsável pelas terras do Estado. A segunda eram as terras dedicadas ao culto ao deus Sol. E em terceiro e último, havia as terras destinadas à própria comunidade.

O Tahuantinsuyu, nome no império inca em Quéchua, voltou-se para uma administração e uso da terra em benefício do povo inca.

Já os espanhóis tiveram que adaptar-se paulatinamente à geografia, ao relevo e ao clima da região, uma vez que a terra era um dos bens mais desejados e valiosos para os exploradores.

AS TERRAS DO IMPERADOR E DO ESTADO

O grande Sapa Inca possuía sua cota privativa de terras, onde construía casas de férias ou utilizava-as para o plantio. A produção era destinada à sua família e os trabalhadores eram escalados para cuidar delas.

É possível que grandes propriedades tenham sido construídas e utilizadas como moradia exclusiva de um único governador. Acredita-se que Pachacutéc, por exemplo, ocupou regiões no vale do Urubamba, conhecidas como Pisac, Ollantaytambo e Machu Picchu.

O imperador, bem como os governantes e administradores menores, era responsável por gerenciar e fiscalizar as terras do Estado. Todos os trabalhadores dos Ayllus trabalhavam nas terras do Estado e, em troca, recebiam uma parte da produção como forma de retribuir pelo trabalho duro da população.

Nessas terras eram feitas construções administrativas, fortalezas e templos entre outros edifícios. Estradas ligavam as terras do Estado e as províncias. Nessas terras, também eram construídas plataformas, as quais eram utilizadas para a agricultura.

Essa produção, como já dito antes, era estocada nos armazéns do império, que por sua vez era usado para abastecer a população e estocar a produção para tempos de seca. Dentro das terras do Estado, uma porção era destinada ao pastoreio de animais, que por sua vez serviam para transporte, produção têxtil ou para simples abate e consumo.

AS TERRAS DO DEUS SOL

Os templos possuíam sua própria porção de terras também, e eram utilizadas para a agricultura e para a realização de rituais. Tudo que era plantado e colhido nas terras dos templos era destinado ao sustento dos sacerdotes ou utilizado nos próprios rituais como oferendas aos deuses.

Esses templos eram construídos em sua grande maioria perto das terras do Estado, para aproveitar a passagem de toda a população nos arredores do templo, facilitando o deslocamento para o acompanhamento de rituais e cultos.

Banquetes de cunho religioso traziam oferendas cultivadas por homens e mulheres. Acredita-se que eles trabalhavam separadamente no cultivo e na colheita do milho, com o qual se fazia a chicha fermentada.

A COMUNIDADE

Essas famílias possuíam terras privativas, nas quais tudo que se retirava era de uso exclusivo delas. Os curacas ficavam responsáveis por administrar as terras de seus povos e etnias, e quando a tribo era dominada ou anexada ao império inca, partes das terras comuns eram dadas ao império como tributo e sinal de boa fé.

Com isso, algumas das terras eram divididas entre as famílias que podiam usufruir delas para a moradia e construção de sua casa, e manter uma pequena horta que era de uso exclusivo daquela família.

As terras só eram dadas a uma família no seu casamento e elas permaneciam com ela até que a família não existisse mais, ou seja, os membros mais jovens casassem e fossem para outras terras, e os membros remanescentes falecessem, ou mesmo se a família fosse escalada como Mitmacs.

A dimensão da terra atribuída a cada família variava de acordo com as características dessa terra e do seu potencial de cultivo. As terras dos vales costeiros e andinos, por exemplo, eram mais difíceis de plantar e pastorear, portanto eram menores.

AS SALINAS

As salinas eram um quarto tipo de divisão de terras, sendo estas de uso genuinamente da comunidade. Essas terras não possuíam dono e recebiam esse nome graças às enormes concentrações de sal que existiam em seu interior.

Além do pimentão, o sal era um dos temperos utilizados na culinária inca, e graças a isso muitas famílias precisavam do ingrediente. Nas salinas a comunidade podia pegar quanto sal necessitasse sem sequer ter de pedir autorização para o curaca da região.

Até os dias de hoje, as salinas de Maras, situadas a 40 quilômetros de Cusco, no Peru, em uma encosta de montanha a 3.380 metros de altitude, produzem sal em grande quantidade, ainda que estejam distantes do oceano Pacífico. As salinas são exploradas para a utilização humana e animal e para a produção de cosméticos. Além disso, esses exuberantes bancos de sal formam uma paisagem única e são um destino muito apreciado pelos turistas.

AS ESTRADAS E AS PONTES

Os incas construíram uma rede de estradas muito eficiente e que foi sendo expandida ao longo de todos os anos do império. A cada novo povo conquistado, uma nova estrada era formada até a via principal que levava sempre a capital inca, Cusco.

Não era muito simples, no entanto, andar pelas estradas incas. Feitas com pedras limadas e pedregulhos encaixados, o caminho era irregular, o que dificultava o carregar das liteiras que abrigavam o imperador.

Essas liteiras podiam ser feitas de modo mais simples, ou totalmente ornadas com pedras preciosas e feitas de ouro. Pachacutec, o nono imperador inca, nunca andava pelas estradas a pé, mas sempre em sua liteira, que de tão pesada, tinha de ser carregada por mais de doze empregados.

As principais estradas formavam um grande corredor que ligava o norte ao sul do império. Essas estradas principais eram atravessadas por diversas outras estradas secundárias que se ligavam a vilarejos, povoados e outras províncias conquistadas.

A engenharia era tamanha que muitos dos trechos, graças às montanhas íngremes, possuem escadarias esculpidas na própria pedra ou até mesmo passam por túneis. Dois sistemas de estradas foram feitos, os que passavam pelas zonas montanhosas e vales, e aquele que passava por toda a costa marítima do império.

Os problemas nessas estradas, no entanto, eram desde os terrenos irregulares até os trechos de desertos arenosos e ventos cortantes, que podiam atrapalhar em muito as viagens dos diversos funcionários imperiais, batalhões de soldados, agricultores e outros que passavam pelas estradas, que eram usadas pela população de forma unânime.

Em seu apogeu, os incas chegaram a ter 40 mil quilômetros de estradas, com pequenas áreas de descanso próximas das fortalezas e que também eram utilizadas pelo exército.

Estudiosos comparam ao império romano, a engenharia das estradas construídas pelo império inca. A Qhapaq Ñan, por exemplo, é uma vasta rede de 30 mil quilômetros que liga seis países – Peru, Colômbia, Equador, Argentina, Bolívia e Chile. Tem início em Cusco e atravessa diversas e contrastantes paisagens, indo da costa pacífica e passando pelos Andes, floresta tropical, vales férteis e desertos. Construída por vários séculos, pelos povos incas, a Qhapaq Ñan foi reconhecida pela Unesco como patrimônio histórico da humanidade, em 2014.

A IMPORTÂNCIA DOS ANIMAIS

Os animais tinham uma importância fundamental para os incas. As lhamas serviam como animais de carga e podiam carregar até 45 quilos de bagagem e viajar por até 20 quilômetros por dia, o que era muito útil já que os incas não utilizavam a roda.

Caso a lhama não fosse usada como transporte, era servida como alimento e em alguns raros casos, alguns pequenos rebanhos de lhamas podiam ser usados em rituais de sacrifício aos deuses.

As vicunhas eram animais selvagens que só podiam ser caçadas por ordem do Sapa Inca e sua sedosa lã era usada na fabricação das roupas da nobreza e de oficiais superiores. Já as alpacas serviam para serem pastoreadas nas montanhas e fornecerem matéria-prima para a produção das roupas de toda a população inca.

As lhamas serviam como animais de carga aos incas

6
ATIVIDADES SOCIAIS

CONHEÇA OUTRAS HABILIDADES
MANUFATUREIRAS DESENVOLVIDAS
PELOS POVOS ANDINOS

A METALURGIA

A profissão de ourives era muito apreciada pelos incas, que viam no ouro a materialização da essência do deus Sol. Esses ourives podiam trabalhar tanto com a prata quanto com o ouro e mesmo não possuindo as mesmas ferramentas de trabalho dos europeus, fizeram um trabalho tão impecável quanto.

Entre as ferramentas utilizadas pelos ourives estavam as pedras, que batiam o brilhante metal em folhas finas após ele ser colocado sob uma rocha plana e martelado com a ajuda de outras pedras menores. Ligas de ouro eram criadas por meio do aquecimento em uma fornalha.

As fornalhas, por sua vez, eram feitas de argila e chegavam a uma temperatura de até 1.830 graus Fahrenheit. Para chegar a essas temperaturas elevadas, os incas criaram um complexo sistema de canos de cobre que assopravam ar para aquecer cada vez mais as chamas, isso claro, com a ajuda de trabalhadores.

Aproximadamente uma dúzia de tubos de cobre era inserida em pequenos buracos que alimentavam as brasas que explodiam constantemente abaixo da fornalha. Usando ferramentas pontiagudas e compridas eles eram capazes de criar o baixo relevo nas folhas de ouro, que recebiam desde a imagem do sol, até pumas, pássaros e penas.

Como a maioria dos trabalhadores que não eram considerados nem da nobreza, nem da classe comum, os ourives viviam em Cusco e dedicavam-se a trabalhar exclusivamente ao governo, vivendo em residências, e se vestindo e comendo de acordo com o que era fornecido diretamente pelos administradores diretamente ligados ao Sapa Inca.

Aliás, as pessoas tidas como comuns não possuíam ouro, utilizado somente pelo Sapa Inca e membros da nobreza. Quando os espanhóis se depararam com facas e outros objetos de ouro e outros metais preciosos dispostos junto às ossadas de alguns incas ficaram incrédulos, mas esse era um costume que somente a nobreza seguia.

MÉTODOS ALTERNATIVOS

Outro método da manufatura das peças em ouro é descrito pelo pesquisador da Universidade de Paris, Henri Favre. Esse seria um método já perdido no tempo, mas que era muito utilizado para fazer objetos mais simples.

O processo da cera perdida era feito a partir do modelamento na cera do objeto que se desejava. Esse modelo era recoberto por uma camada de argila que quando endurecida, era exposta ao calor do fogo.

Essa cera, por sua vez, se fundia e escorria por orifícios trabalhados no revestimento do molde, e era substituída pelo metal em fusão. Após resfriado, bastava quebrar a argila para obter o objeto que era polido até perder suas asperezas.

Esses metais, na maioria das vezes, eram incrustados com pedras preciosas e outros ornamentos de igual valor.

OS MINEIROS

A profissão de mineiro inca era fascinante, pois, foi a única atividade laboral de toda a história do império na qual se trabalhava apenas seis ou oito horas por dia. Geralmente, como já foi dito, a maioria das profissões incas começava seus afazeres quando o sol raiava e terminava apenas quando o sol se punha, fazendo dos mineiros o que mais se assemelham ao sistema de trabalho que temos hoje.

Esse era um trabalho estritamente braçal e geralmente feito por homens, e cabia apenas à população mais rural exercer essa função. Isso ocorria pelo fato de muitas minas incas permanecerem em uma altitude tão elevada que tornava impossível exercer a função por mais de seis ou oito horas.

O oxigênio reduzido por causa das altas altitudes diminuía a capacidade de respiração, e as baixas temperaturas contribuíam para aumentar as difíceis condições de trabalho.

OS CHASQUIS

Uma das maiores realizações do império inca, ao menos aos olhos dos estudiosos, arqueólogos e até mesmo dos espanhóis, foi a criação de um sistema de correio e entrega de mensagens que é tido por muitos, até hoje, como o mais eficiente que já existiu até aquele momento na humanidade.

Os funcionários que trabalhavam para esse sistema de correios eram os chasquis, palavra quéchua que significa "Aquele que recebe e dá", e sua principal função era entregar encomendas e mensagens a mando do imperador ou da nobreza, por todos os quatro lados do império.

Esses chasquis eram selecionados pelo governo. Os homens deveriam ter entre 18 e 25 anos e receber treinamento desde a infância para conseguir passar pelas estradas, montanhas e declives com a maior velocidade possível.

Para ser um chasqui era preciso ter três características fundamentais: lealdade ao imperador e confiabilidade inquestionável, uma vez que se fossem pegos adulterando ou violando os segredos de uma mensagem eram punidos com a morte, além de velocidade e fôlego.

A velocidade aumentava com o decorrer do treinamento graças à adaptabilidade aos relevos e caminhos, e para o fôlego, eles eram os únicos, juntamente com os nobres, a poderem mascar a folha da coca, com o propósito de renovar as energias e o fôlego nas altitudes extremas.

Entre suas ferramentas de trabalho estavam o pututu, uma concha que o próprio chasqui usava para anunciar sua chegada ao local, os quipus, sistema de registro inca que trazia geralmente a mensagem, e um porrete para se defender de animais ou de inimigos dos incas que desejassem interceptar a mensagem.

O sistema, para aumentar a eficiência, contava com dois chasquis em cada tampu, e a mensagem era passada de chasqui em chasqui conseguindo ser entregue de um lado a outro do império em questão de um ou dois dias.

Para os incas, o ouro era a materialização do deus Sol

7

LEIS E EXÉRCITOS

LEGISLAÇÃO RIGOROSA, SOCIEDADE
ESTRATIFICADA E POSIÇÕES HIERÁRQUICAS
BEM DEFINIDAS ORDENARAM
RIGIDAMENTE A SOCIEDADE INCA

As leis incas eram muito rígidas. Com uma sociedade tão bem estratificada e com suas profissões e posições tão bem definidas, era difícil para qualquer inca desobedecer a lei. Um dos fatores que dificultava muito isso era que a maioria dos incas tinha supervisão em seus trabalhos, que eram feitos do raiar ao pôr do sol, deixando quase nenhum tempo para os crimes.

Entre as leis incas mais básicas, estavam a de não mentir, não ser preguiçoso, não roubar, não cometer assassinatos e nem cometer adultério, ou seja, não se permitia qualquer traição entre marido e mulher.

É interessante notar que essas leis formavam a base da sociedade e do que era terminantemente proibido a todos, não importando de que classe social vinham. Aliás, os nobres e as pessoas que tinham uma influência maior sobre as pessoas consideradas "comuns", recebiam uma pena muito mais severa quando cometiam qualquer deslize.

O CRIME DE SODOMIA

Em alguns relatos do cronista inca Garcilaso de la Vega é possível ler os registros de outros crimes que eram julgados pelo imperador mas que não necessariamente quebravam nenhuma lei inca, como era o caso da sodomia.

O termo sodomita era designado a toda e qualquer pessoa que fosse homossexual. Na campanha do imperador Capác Yupanqui para a expansão das terras do império, ele mandou queimar vivos todos os que tivessem essa prática, ou fossem suspeitos de serem homossexuais.

AS PENAS APLICADAS

As punições incas poderiam ser terríveis. Oficiais distritais agiam como juízes que executavam julgamentos sobre os crimes cometidos sob a sua jurisdição. A praça maior era palco do anúncio dos problemas da cidade e ali era feito o julgamento, entre os povos e os curacas locais. O castigo era proporcional ao delito cometido e a punição era mais severa quanto maior fosse a classe social do acusado. Assassinatos e insurgências eram punidos com pena de morte.

Aliás, a pena de morte estava entre as mais comuns, e era aplicada também aos crimes de adultério com um nobre, roubo de propriedade do Sapa Inca ou dos armazéns religiosos.

As pessoas comuns eram sentenciadas a serem espancadas até a morte com clavas de pedra ou serem atiradas da beirada de um penhasco. Alguns também podiam sofrer da mais penosa punição, na qual a pessoa era pendurada pelos cabelos sob um penhasco e quando seu couro cabeludo rasgava, a pessoa caía no abismo, morrendo na queda.

Quando uma pessoa roubava das plantações e dos armazéns do Estado por estar faminto, o administrador responsável era punido.

De acordo com o pensamento inca, se a pessoa estava passando fome é porque o administrador não estava fazendo um bom trabalho e por isso merecia ser punido. Essa punição era mais branda dependendo do número de vezes que esses roubos aconteciam.

O administrador podia perder seu cargo, ser exposto em praça pública e receber diversos tipos de insultos e humilhações ou até mesmo ser banido de seu povoado e ir trabalhar para os nobres nos campos de coca, localizados na costa leste dos Andes.

Os líderes do governo e até os nobres não recebiam tratamento diferenciado quanto à lei. Sua punição por um crime era mais severa. Os nobres e governantes eram aprisionados em um fosso, que continha um labirinto.

Esse labirinto era preenchido com cobras, aranhas, escorpiões e pumas. As paredes e o chão possuíam lascas de metal e pedras irregulares fazendo com que o sentenciado não tivesse nenhum descanso em sua luta pela sobrevivência. Água e outros tipos de recursos não eram fornecidos ao criminoso.

Um breve resumo de todas as penas aplicadas pelos incas foi fornecido por Michael Andrew Malpass em sua obra *Daily life in the inca empire*, na qual o arqueólogo e pesquisador ressalta que a criatividade dos incas em punir seus criminosos e infratores era ilimitada.

"Adultério entre as pessoas comuns era punível com a tortura; mas se a mulher fosse uma nobre, ambas as partes eram executadas. Crimes contra o governo eram tratados com especial severidade. Roubar dos campos do Estado era punível com a morte. Se um curaca sentenciasse uma pessoa à morte sem a permissão de seu superior, uma pesada pedra era atirada contra as suas costas de uma altura de três pés. Se ele fizesse novamente, ele seria morto. Traição era punível com o aprisionamento da pessoa em prisões subterrâneas em Cusco, as quais eram enchidas com cobras e animais perigosos", afirma Michael, que também leciona pela Universidade de Ithaca, no Estado de Nova Iorque, nos Estados Unidos.

A PUNIÇÃO PELOS CRIMES DE PREGUIÇA

Para as pessoas comuns, seu código de conduta para toda a vida era "Ama sua, ama llulla, ama checklla", que significa em tradução literal, "Não roube, não minta, nem seja preguiçoso". Uma mulher preguiçosa que não mantivesse a casa limpa era obrigada a comer toda a sujeira de sua própria casa.

Um marido que fosse responsável também por deixar a casa suja ou sem manutenção, também tinha de comer a sujeira ou beber toda a água que fosse usada pela sua família para o banho, que na maioria dos casos estava imunda.

Um trabalhador que fosse preguiçoso era torturado ou mesmo chicoteado por não comparecer ao serviço. Caso a preguiça continuasse, o cidadão era sentenciado à morte por espancamento.

Alguns relatos dizem que a pena mais branda para esse tipo de crime era uma espécie de trabalho inútil. Nesta punição, o trabalhador era sentenciado a passar um dia inteiro levando uma pesada pedra de um lugar para o outro, e depois trazê-la de volta ao seu ponto de origem até que o dia acabasse.

TÁTICA DE SOBREVIVÊNCIA, EVITANDO AS INVASÕES

Entre as táticas de sobrevivência, estava o planejamento das cidades. As cidades incas eram construídas de forma a permanecerem em vantagem caso ocorresse um possível ataque inimigo ou uma invasão.

As casas possuíam muros feitos de pedra para evitarem sua derrubada e eram aglutinadas de modo a fazerem um plano sem muita distinção nem aparência, para confundir o inimigo entre as estreitas ruelas e outros alvéolos.

A maioria das construções eram feitas de modo que dois ou três lados, quando possível, eram protegidos por despenhadeiro natural, que se formava nas elevações rochosas dos Andes, e a única entrada possuía difícil localização pelas muralhas dispostas em zigue-zague.

Tudo pensado de forma a dificultar a entrada de invasores e a possível perda do território para as tribos bárbaras que viviam em constante atrito com o povo inca.

A MAIOR FORTALEZA

Sacsayhuaman era a maior fortaleza inca de todo o império e foi construída para servir de posto avançado nas defesas da capital imperial Cusco, que não possuía muros. A fortaleza fora erguida sobre os restos de construções mais antigas e as suas muralhas, ambas de origem desconhecida.

Construída sobre uma plataforma de mais de 18 metros e com uma visão geral extremamente nítida de todas as direções, era possível fiscalizar a presença de invasões e outros inimigos. Sua tripla muralha era, de acordo com as lendas, impenetrável e os enormes blocos de granito que a compunham pesavam toneladas.

Apenas um dos blocos podia ter até oito metros, e pesar aproximadamente 360 toneladas. Cerca de 30 mil homens foram necessários para levantar as paredes de Sacsayhuaman, um trabalho que levou em torno de 20 ou 30 anos.

AS ARMAS

As armas incas tinham muitas utilidades e podiam ser usadas para ataques à distância ou mesmo para esmagar os crânios dos oponentes.

A *huaraca* era a arma preferida da maioria dos imperadores incas, e servia para atirar projéteis, pedras ou outro tipo de material, com força o bastante para atravessar os escudos adversários.

Os *liwis*, uma espécie de boleadeiras, assoviavam enquanto eram giradas no ar amedrontando os inimigos e, quando necessário, eram atiradas para produzir ferimentos graves. Entre outras armas de ataque, estavam os *cumanas*, que eram uma espécie de arremessadores de dardos, que em suas concavidades recebiam pequenas setas pontiagudas que eram atiradas em alta velocidade.

Já os *chaskachuqui* eram uma clava de madeira com a extremidade feita de metal em formato de estrela, que podia variar seu material entre ouro, prata ou bronze, dependendo da patente do soldado que a usava.

Era a arma mais comum do exército inca e todos recebiam treinamento para utilizá-la. As lanças incas, chamadas de *suchucchuqui*, eram utilizadas apenas por generais ou oficiais de alta patente e mediam dois metros de altura.

Algumas etnias mais selvagens que eram aliadas dos incas ou simplesmente contratadas como mercenários, utilizavam do arco e flecha para fazerem ataques a longa distância. Para proteção, os incas utilizavam um *hualcana*, que era um escudo feito de madeira.

AS GUERRAS: O CERCO COMO ESTRATÉGIA DE PERSUASÃO

O povo inca era um povo guerreiro por natureza. Valentes e natos em conseguirem vantagem no terreno íngreme dos vales e montanhas andinas, eram um povo que não tinha medo algum do inimigo, bem como do confronto. No entanto, há poucas grandes guerras a se relatar na história inca.

Isso porque uma das maiores táticas militares já abordadas pelos incas foi a do cerco. Eles montavam um perímetro sob a área na qual o oponente estava, e que na maioria dos casos era uma tribo vizinha, e esperavam pacientemente que a fome, a sede e as condições carcerárias do cerco fizessem seu trabalho.

Muito desta tática partia do princípio religioso dos incas. Amantes e adoradores do culto ao deus Sol conclamavam todos os seus filhos e seu imperador. Com isso, a intenção dos incas ao dominar outras regiões, e consequentemente ir para o conflito com seus exércitos que só se expandiram com o tempo, era o de levar essas tribos, que viviam de forma selvagem, para a civilização e para a adoração de seu deus Sol.

Muitos historiadores creditam essa justificativa a uma desculpa que os imperadores davam aos povos para dominarem seus territórios. A verdade é que algumas grandes guerras foram travadas pelos incas mesmo com todo esse cuidado ao evitar o conflito direto.

A EXPANSÃO DO IMPÉRIO

A diplomacia foi uma das grandes armas dos incas, que foram capazes de expandir sua influência negociando acordos comerciais e tributos, oferecendo em troca presentes que para a maioria das tribos eram itens valiosos.

Também eram negociados acordos de casamento, envolvendo o líder tribal da região que recebia, como presente do império, uma mulher inca para se casar. Essa estratégia era para, além de conquistar a aliança das tribos através do amor, mostrar a força dos laços e a união dos povos.

Essas conquistas eram importantes para os governantes incas, seja pela diplomacia, pelo casamento entre tribos ou pela própria guerra, mas servia como prestígio ao seu reinado e como histórias, que seriam contadas com glórias pela tradição oral tempos depois que esse governante morresse.

A GUERRA E A RELIGIÃO

Mesmo que o principal pretexto para que o imperador e seu exército partissem para o expansionismo territorial fosse o deus Sol e sua vontade, a religião inca não parava por aí quando se tratava de guerras e de derramamento de sangue.

Antes das campanhas territoriais e do exército partir, era realizado um jejum de dois dias e em seguida cerimônias de sacrifício eram realizadas para que o deus Sol ficasse satisfeito e desse forças ao exército. Geralmente os sacrifícios giravam em torno de lhamas pretas ou de crianças, e eram seguidos de uma festa.

Sacerdotes e ídolos religiosos acompanhavam o exército, que mesmo em campanha respeitava os costumes religiosos. Graças a um desses costumes, o de não guerrear em lua nova, os incas ficaram sem reação durante uma das invasões espanholas, posteriormente no século XVI.

O EXÉRCITO

O exército do império era composto, em grande parte, de homens vindos das tribos conquistadas que, como forma de tributo aos incas, engrossavam as fileiras do exército ao invés de só permanecer trabalhando na terra.

Esse, aliás, era um dos motivos pelos quais os incas tentavam de todas as formas utilizar táticas que não derramassem sangue na hora de conseguir aliados e dominar outras tribos, pois assim seus homens e guerreiros poderiam ingressar na carreira militar.

Por essa razão, o exército inca era um conglomerado de guerreiros de diversas etnias, e cada grupo ou flanco era liderado por um comandante, que em geral também pertencia à etnia dos soldados, facilitando o diálogo dentro da unidade de combate bem como o uso de armas da preferência da etnia.

Fora da unidade, o diálogo era um pouco mais complicado. Cada unidade falava uma língua e pertencia a uma etnia dificultando em muito as ações sincronizadas ou os ataques no calor das batalhas.

A ORGANIZAÇÃO MILITAR

A dificuldade de entendimento entre essas unidades e a falta de experiência em combate, visto que nem todos os homens das tribos eram guerreiros e que junto aos exímios lutadores ingressavam agricultores e fazendeiros, além da falta de profissionalismo, se revelaram um problema, fazendo com que os incas optassem por outra forma de organizar suas forças armadas.

Baseando-os em um ciclo rotatório, qualquer homem com a idade entre 25 e 50 anos podia ingressar no exército, e os abaixo de 25 anos exerciam funções básicas como carregador de mantimentos e armas, cozinheiro e ceramista.

Embora muitos agricultores ainda se juntassem às tropas quando necessário, o Estado estipulava como obrigatório o treinamento de combate e com armas a todos os jovens, homens, que treinavam para apresentações em batalhas rituais.

As unidades foram divididas em grupos decimais. O primeiro grupo, e o menor, era formado por 10 pessoas que eram comandadas pelo Chunka Kamayuq, o grupo de 100 pessoas era comandado pelo Pachaka Kuraka, o de mil homens era liderado pelo Waranqa Kuraka, enquanto o maior de todos, de 10 mil homens, era liderado pelo Hunu Kuraka.

Apesar de não se ter evidências precisas sobre quem era eleito para cada um desses cargos de comando, é possível concluir com base em registros históricos que esses comandantes do exército geralmente possuíam sangue real.

O imperador inca era o comandante chefe e para evitar que os comandantes destes flancos menores ganhassem mais prestígio que ele em batalha, muitas vezes o imperador comandou o exército nas linhas de frente pessoalmente.

Filhos e irmãos do imperador também eram eleitos para representar sua autoridade no campo de batalha, uma vez que em determinado momento, o império era grande demais para que o rei ficasse fora da capital, Cusco.

Viracocha Inca, além de seu pai Yahuar Huacac, foram dois grandes exemplos de imperadores que mandaram seus familiares para a batalha em seus lugares, principalmente Yahuar Huacac, o "Inca Chorão".

A LOGÍSTICA DA GUERRA

A logística inca foi muito bem planejada e moldada pouco a pouco. Com a expansão do império, os incas conseguiram criar uma rede eficiente que transportava suprimentos para qualquer local ao qual fossem necessários.

Muitas vezes o inimigo optava por uma negociação pacífica, em outras, a guerra se fazia necessária para manter a ordem dentro dos limites do império. Para isso, o rápido envio de tropas aliadas poderia determinar a vitória ou a derrota do exército inca.

Pensando nesse problema, os incas construíram uma rede complexa de fortalezas que eram ligadas por uma rede mais extensa ainda de estradas. Essas fortalezas eram construídas de acordo com as rotas e possuíam uma distância suficiente uma da outra, para que sempre pudessem prestar socorro a quem precisasse.

Com esses intervalos regulares entre fortalezas, as tropas não precisariam andar mais de 20 quilômetros sem suprimentos. Os alimentos, animais, armas e vestimentas podiam ser estocados com mais facilidade.

Para que toda essa logística funcionasse, os suprimentos eram transportados por lhamas ou pessoas, e em momentos extremos até mulheres e crianças podiam ser utilizadas.

Geralmente, as campanhas duravam meses, e para as tropas não se desgastarem ou mesmo perderem soldados por desnutrição e esforço físico, esses fortes e pontos estratégicos de parada eram necessários.

Para aliviar o fardo das comunidades locais, essas eram avisadas de antemão que o exército inca estava vindo para defender os territórios de invasores, e que precisariam de mantimentos.

O exército, por sua vez, era movido em grupos alternados de modo que as unidades parassem em postos e fortalezas diversos, pelo mesmo caminho, conseguindo utilizar racionalmente os recursos das fortalezas.

QUANTO MAIS, MELHOR

A grande força que os incas demonstravam em batalha não era apenas um mito. Mesmo sem armas de tecnologia superior e sem melhoras táticas que os inimigos já não pudessem prevenir, a principal fonte das vitórias incas eram seus números.

Os números eram a grande arma secreta dos incas e com uma estratégia brutal de mandar um grande número de soldados de uma só vez, diversos inimigos foram esmagados sem a menor dificuldade.

Tropas de apoio ficavam em colinas e outros patamares um pouco mais afastados caso esse exército principal que era enviado primeiro sofresse muitas baixas, tendo sempre um plano alternativo na hora do combate.

Os líderes incas, como era costume dos imperadores, mandavam um embaixador pedindo através de um requerimento diplomático que as tropas inimigas se rendessem e aceitassem submissão.

Caso essa diplomacia fosse recusada, os procedimentos tradicionais de preparo para a guerra começavam. Entre eles, além dos básicos, como alinhar as tropas, estabelecer a estratégia de combate e outros, estavam o cântico de canções de guerra, que insultavam o inimigo e elevavam o moral dos soldados. Esse era um processo que poderia durar dias.

Espiões eram enviados para saber os números do inimigo, bem como analisar o terreno para uma melhor aproximação. A guerra poderia levar dias ou semanas e geralmente com ou sem a ajuda da cavalaria, as tropas incas sempre levavam a melhor, apesar de por diversas vezes serem necessárias táticas sujas, como o falso rendimento ou o contra-ataque furtivo.

A LENDA DOS SOLDADOS PURURAUCAS

Uma das maiores guerras incas já registradas e contadas aos cronistas espanhóis foi a guerra contra os Chancas, na qual o imperador Yahuar Huacac se acovardou e deixou tudo nas mãos de seu filho, Viracocha Inca.

Na ocasião, os Chancas foram derrotados e tiveram que novamente se sujeitar à autoridade máxima dos incas. Mas, como foi que os incas ganharam a guerra? Foi a partir daí que surgiram os relatos sobre os Guerreiros de Pedra.

A GUERRA

Viracocha, após ouvir de seus mensageiros que o exército de mais de 40 mil soldados sanguinários dos Chancas estava partindo em direção a Cusco, ordenou que todos os civis fossem levados para um lugar seguro e mandou as tropas se reunirem.

No caminho para a capital inca, ele já havia conseguido um contingente de 8 mil homens vindos dos vilarejos paralelos e das tribos perto da capital, porém, o número permanecia ainda incrivelmente baixo e inexpressivo.

O novo imperador ordenou às tribos mais distantes que ajudassem a proteger Cusco do ataque, mas estas ficaram receosas se deveriam mesmo colocar suas vidas em risco. O inca então na manhã seguinte dirigiu-se com todos os homens que pode reunir para os vales a fim de proteger seu reino.

Chegando lá, os rituais de guerra começaram e, como era de praxe, o inca mandou um mensageiro solicitar por meios diplomáticos a desistência dos Chancas, que por contarem uma vantagem numérica absurda e pensarem que o novo imperador era fraco e inexperiente demais para comandar o exército, recusaram.

A sangrenta batalha começou e os dois povos se digladiaram como nunca. As armas se chocavam e os escudos rachavam da força bruta colocada nos golpes dos adversários. Viracocha não sabia mais o que poderia fazer para ganhar a guerra, uma vez que o número de Chancas era muito maior.

Foi então que um contingente de mais de 5 mil homens apareceu sob o alto do vale e desceu como em uma massa humana única contra os Chancas, atacando o flanco direito do exército invasor de surpresa.

Despreparados para esse ataque, os Chancas recuaram e perderam muitos guerreiros. Quanto mais eles matavam, mais guerreiros apareciam. Duas horas após a investida dos reforços incas, os Chancas se renderam e admitiram a derrota em batalha.

O local no qual a batalha foi travada é chamado até hoje de Yahuarpampa, que significa literalmente "Campo de Sangue". Relatos dizem que o sangue dos guerreiros mortos escorria de tal maneira que formavam um córrego como se fossem as águas de um rio caudaloso.

A lenda dos guerreiros invencíveis, no entanto, veio desse relato místico, que os próprios Chancas criaram sobre o exército inca, dizendo que as pedras ganharam vida e assumiram postos dentro do exército do imperador.

Os incas, por sua vez, se aproveitando da superstição dos Chancas, fomentaram a história de que até mesmo as pedras ganhavam vida para se unir às fileiras do poderoso exército que agora colocava um terror hediondo por onde passava.

Os relatos de outros cronistas, no entanto, se mostram mais realistas. Aqueles 5 mil homens que integraram as fileiras incas e pegaram os Chancas desprevenidos nada mais eram do que uma guarnição do exército inca, que vinha daqueles povos que ficaram anteriormente receosos se deveriam ou não assumir um papel na guerra.

Incas: um povo guerreiro em sua essência

8
A NATUREZA PROVEDORA

A MEDICINA INCA ERA BASEADA NO USO DE ERVAS E OUTROS MEDICAMENTOS FEITOS DE FORMA TOTALMENTE NATURAL

Os curandeiros incas estudavam a aplicação e as finalidades das diversas plantas encontradas nas florestas e nas encostas montanhosas a fim de melhorar a qualidade de vida do povo inca.

As crianças e as mulheres ficavam com a função de colher as ervas que eram estudadas até a exaustão pelos doutores que faziam suas consultas em alguns vilarejos andinos. Mulheres mais velhas, que pela idade já possuíam o conhecimento sobre as plantas, também podiam tratar os doentes e neles aplicar os remédios.

Os doutores, geralmente, além de tratar os doentes, eram responsáveis também pelo trabalho de parar sangramentos, realizar amputações e curar os feridos nos campos de batalha inca. Um grupo de curandeiros chamados *Collahuayas*, vindos da região do lago Titicaca, eram tão bons que cuidaram até mesmo da família real.

Diferentemente da medicina oriental e da medicina europeia, a medicina praticada pelos incas consistia em métodos de sangria e trepanação. Acreditava-se que a sangria, que era a extração do sangue de forma controlada, que era retirado próximo ao local de dor ou queixa do paciente, poderia curar doenças. Na trepanação, o crânio do paciente era perfurado, com o objetivo de eliminar doenças como enxaqueca ou transtornos mentais.

A UTILIZAÇÃO DAS PLANTAS NOS TRATAMENTOS

A mistura de plantas era o principal remédio feito pelos incas, e em sua sociedade, era responsável por curar febres, tosses e ossos quebrados, além da coceira produzida pela picada de insetos ou pela mordida de animais.

Hoje, a quinina e a coca são algumas das plantas receitadas em medicamentos e na prescrição de remédios na medicina moderna do Peru. Matecclu, uma planta que nasce nas zonas úmidas dos Andes, é utilizada ainda hoje em um tratamento eficaz contra infecções oculares.

Uma mistura com folhas de chilca, outra planta da região, ajudava nas dores das articulações, enquanto a salsaparrilha era utilizada em feridas muito dolorosas. A coca era uma das plantas mais utilizadas pelos incas e entre seus diversos usos estavam o curar de tonturas, aliviar sintomas de altitude e a fadiga, além de também fazer passar a fome.

A molle era outra árvore muito encontrada na região e sua casca era utilizada pelos médicos incas para curar feridas abertas enquanto suas bagas serviam para a produção de cerveja. Até mesmo os galhos dessa árvore eram usados pelos incas como escovas de dente.

Hoje, todas essas ervas são vendidas em mercados municipais a céu aberto no Peru. Junto com o pacote das ervas, o paciente dispõe de um manual de instruções com o que a planta faz e como deve ser usada e preparada.

DOENÇAS DESCONHECIDAS

A cura era um ritual feito em comunidade. Muitas das mulheres dos Ayllus ficavam a cargo de cuidar e assumir a responsabilidade pelo tratamento dos doentes. Os médicos e curandeiros eram viajantes e não podiam supervisionar a melhora de todos.

No entanto, com a chegada dos espanhóis, a vida dos incas ficou mais difícil. Não só pelo fato de os espanhóis dominarem e levarem todos os tesouros dos incas, mas sim porque junto com suas armas e seus costumes, esses europeus trouxeram a bordo dos navios diversas doenças até então desconhecidas na cultura inca.

Alguns historiadores e estudiosos, como Jan G. R. Elferink, pesquisador do Departamento de Biologia Celular Molecular da Universidade de Leiden, na Holanda, acreditam que um dos últimos imperadores incas, Huayna Capac, tenha morrido de varíola, pega através do contato direto com espanhóis.

Entre as tantas doenças existentes nos Andes, no período dos incas, estavam a tuberculose, a lepra, a malária e a sífilis. Esses povos também eram acometidos por vermes como tênias e solitárias, além de terem suas cabeças infestadas por piolhos.

A CIRURGIA NA CIVILIZAÇÃO INCA

Se o que lhe vem à mente é uma mesa esterilizada e pronta para uso, você está enganado. Os incas não possuíam instrumentos de ponta, muito menos feitos de metal. E não havia nenhum glamour nas técnicas utilizadas por eles para uma cirurgia.

Cortar pequenos pedaços do crânio dos pacientes, com propósito puramente médico, é claro, era rotina nos campos de batalhas. Muitos incas tinham seus crânios esmagados por porretes, e para evitar um inchaço cerebral, parte do crânio do paciente era retirado ali mesmo, no meio de toda a matança.

Muitas drogas preparadas à base da folha de coca eram usadas para anestesiar os pacientes antes de uma cirurgia começar. O procedimento cirúrgico chamado de trepanação era realizado para aliviar a pressão no cérebro feita pelos ferimentos ou remover lascas de ossos. A trepanação também era utilizada em caso de doenças mentais e problemas físicos como a epilepsia e a enxaqueca.

A falta de registros escritos por parte da civilização inca tornou difícil saber de onde os incas tiraram essas técnicas, no entanto, sabia-se que as cirurgias podiam ser feitas em pacientes vivos e que esses poderiam ter uma boa recuperação.

Exames nos crânios encontrados permitiram saber melhor como era feita a cirurgia, e em muitos casos, o osso apresentava sinais de cura, indicando que além do paciente estar vivo quando a cirurgia foi feita, esta tinha sido um sucesso, uma vez que o paciente apresentou melhoras e cura óssea.

Coca, a planta sagrada dos incas

9
DA MATEMÁTICA
À ASTRONOMIA

OS INCAS NAS CIÊNCIAS:
A INVENTIVIDADE DOS
OBSERVADORES DOS CÉUS

A matemática teve um papel fundamental dentro da sociedade por conta de os incas não possuírem um sistema de escrita. No entanto, pelo mesmo motivo, a matemática e as ciências, de forma geral, não evoluíram de maneira significativa ao longo do desenvolvimento do império.

A ausência de registros escritos fez com que muitas descobertas e experimentos se perdessem com frequência, sem antes terem sido compartilhados.

Mesmo sem um sistema de registro preciso das descobertas e sem contar com a ajuda de um sistema numérico moderno, os incas conseguiam utilizar a matemática para puro registro contábil. Ela era utilizada para contar quantas pessoas saíam e entravam nos vilarejos e quanto era a cota de alimentos produzidos por cada Ayllu.

Essas operações matemáticas eram muito facilitadas por um tipo de ábaco, que possuía cinco fileiras de quatro casas nas quais eram distribuídas séries de um a cinco grãos de milho. Os resultados eram posteriormente colocados sob a forma dos quipus.

OS QUIPUS

Os quipus eram pequenos cordões que não mediam mais que alguns centímetros de comprimento, e nunca ultrapassavam um metro de extensão. Neles eram registradas todas as contagens feitas.

Por meio de pequenos nós e torções de coloratura variada, os incas sabiam qual era a contagem de cada coisa, desde a produção agrícola até os soldados dos exércitos. Cada cordão correspondia a uma determinada contagem.

Para determinar a numeração desses objetos ou pessoas, a posição do nó e a quantidade de voltas que eles possuíam determinavam sua quantia. Cada cordãozinho, assim personificado, correspondia a objetos de mesma natureza. Os nós feitos em cada um representavam o valor numérico desses objetos. O número um era simbolizado por um nó simples. Quanto mais grosso, o nó representava números de 2 a 9. Os nós situados na parte inferior, média ou superior do cordãozinho representavam, respectivamente, unidades, dezenas, centenas ou milhares.

O CENSO INCA

Os incas também utilizavam o sistema de quipus para realizar uma espécie de Censo, muito próximo do realizado hoje por institutos como o Instituto Brasileiro de Geografia e Estatística (IBGE), entre outros.

O Censo era feito anualmente e contava a idade, sexo, estado civil, profissão, bem como a localização de cada tipo de produção e, claro, quantas pessoas viviam no império.

O método de contagem da população inca impressionou os espanhóis, uma vez que as autoridades incas sabiam com precisão a quantidade de pessoas que viviam sob seu império, além da idade, sexo, estado civil, ocupação, classe social e onde estavam localizados.

A ASTRONOMIA

A astronomia era uma das ciências estudadas que andava em conjunto com a matemática. Os incas utilizavam um sistema numérico decimal para fazer as operações necessárias na astronomia.

Os incas eram grandes observadores dos céus. Em sua capital, Cusco, construíram oito torres, quatro de frente para o nascer do sol e quatro viradas para onde ele se punha. Graças a esse esforço, foram capazes de aprender sobre a mudança na trajetória do sol e como acompanhar o solstício de inverno e até quando o sol atingia seu ponto mais alto, com o solstício de verão.

O movimento dos planetas também podia ser visto, e graças aos pontos límpidos de observação de cima das montanhas, até mesmo Vênus podia ser observada.

A posição da lua era um prenúncio de chuva ou estiagem A chuva era sinal de abundância, já a estiagem, anunciava a escassez. Dependendo da fase, a lua era favorável a determinadas atividades. Para os incas, a passagem de cometas era um prenúncio ruim, de guerra, fome ou epidemia.

A astrologia era representativa o suficiente para conduzir os incas nas atividades agrícolas e pastoris.

OS ECLIPSES E O CASTIGO

Para eles, quando o sol estava sob o efeito de um eclipse era porque o deus Sol havia desaprovado e estava irritadíssimo com alguma ação feita pelo império. Os incas diziam que ainda que seu semblante (do sol) assemelhava-se ao de uma face furiosa e os astrólogos previam castigos e punições ao povo.

Durante o eclipse, a criatividade dos incas vinha à tona. Segundo relatos do próprio Garcilaso de la Vega, os incas pensavam que o sol iria morrer se aquilo continuasse, e que seu corpo iria cair sobre a terra, esmagando a todos, caracterizando assim o fim do mundo.

O desespero era tanto, que para acordá-lo do seu estado de sono, eles tocavam trompetes feitos de chifres, tambores e batiam nos cães para que uivassem, a fim de que a lua saísse do caminho e acordassem o deus Sol.

O CALENDÁRIO

Os incas possuíam dois tipos de calendários, um diurno e outro noturno. Com funções específicas, o calendário diurno era baseado nos movimentos do sol, e possuía, assim como os calendários modernos, 365 dias.

O calendário diurno estabelecia quando começavam e terminavam as atividades agrícolas, e a jornada de trabalho inca, além de projetos arquitetônicos e os trabalhos envolvendo o exército.

Já o calendário noturno, baseado nos movimentos da lua, possuía somente 328 noites, e determinava a agenda de rituais e outras celebrações religiosas. No entanto, a diferença entre os dois calendários nunca foi um problema para os incas. Confira como era o calendário e o que faziam em cada mês.

Para os incas, o eclipse solar era um sinal da ira do deus Sol

Dezembro (Capac Raymi) – Dezembro marcava o começo do ano-novo inca, e também o início dos trabalhos nas plantações de coca, batata e quinoa. As noites de dezembro eram regadas a rituais que comemoravam a passagem da puberdade para a vida adulta de rapazes. Outros tipos de impostos, sacrifícios e presentes chegavam ao imperador pelo ano-novo.

Janeiro (Camay Quilla) – As festas pela passagem da puberdade para a vida adulta continuavam nesse mês de acordo com o calendário noturno, enquanto de dia fazendeiros se preparavam para as colheitas e homens e mulheres trabalhavam com suas enxadas e arados.

Fevereiro (Hatun Pucuy) – As colheitas de batatas, jicamas e outros vegetais eram feitas e se contabilizava o que era produzido.

Março (Pacha Pucuy) – Era considerado o fim do verão e a noite muitos rituais e sacrifícios eram feitos para os deuses a fim de prover um melhor rendimento à cultura de grãos, especialmente o milho.

Abril (Ayrihua) – Os camponeses e as pessoas que cuidavam da lavoura passavam boa parte do tempo afugentando os corvos, raposas e outros pássaros que vinham atrás do milho e das outras plantações. Um dos métodos era a utilização de tambores, que emitiam sons altos ou mesmo estilingues. À noite, rituais em homenagem ao Sapa Inca eram feitos.

Maio (Aymoray Quilla) – Destinado à colheita de todo o plantio feito até janeiro. Esse mês em particular incluía uma celebração que era muito parecida com o feriado de Ação de Graças norte-americano.

Junho (Inti Raymi) – Esse mês era repleto de celebrações em homenagem ao deus Sol todas as tardes. De manhã os incas plantavam batatas e outros tubérculos e vegetais.

Julho (Chahua Harquiz) – Esse era o mês mais rigoroso do inverso inca e por isso técnicas de desidratação e conserva dos alimentos eram utilizadas em carnes e batatas principalmente. Mesmo com o frio congelante e até mesmo com a neve caindo sobre os campos, os homens trabalhavam em construções e no reparo dos sistemas de irrigação, os quais eram importantíssimos para os incas, pois sem eles a plantação não rendia. Até mesmo rituais eram feitos para melhor conservação dos canais.

Agosto (Yapaquiz) e setembro (Coya Raymi) – Esses dois meses eram muito parecidos e marcavam o final do inverno e o começo da primavera e de suas colheitas. Os agricultores trabalhavam arduamente para plantar mais milho, batatas e outras sementes e grãos. Os ritos religiosos eram praticados em abundância nessa época e o principal pedido dos incas era a boa safra na colheita e o afastamento de energias negativas que comprometessem o plantio. Em setembro, rituais também invocavam a limpeza e purificação de cuzco.

Outubro (K'antaray) e novembro (Ayamarca) – Eram dedicados à reza aos deuses por boas colheitas e muita chuva, já que historicamente o mês de novembro era um mês de secas. Os mortos também eram homenageados, assim como as múmias dos antigos Sapa Incas.

10
A RIQUEZA DA CULTURA INCA

EXUBERANTES NAS ARTES, MÚSICA, TECELAGEM, CERÂMICA E ATÉ MESMO NA DANÇA, OS INCAS PERPETUARAM COSTUMES QUE ILUSTRAM A IMENSIDÃO DO IMPÉRIO ANDINO

Instrumentos foram criados à base de árvores, grãos e o que mais fosse encontrado na natureza. A moda refletia as adorações que os incas tinham pelo seu rico panteão, com deuses dos mais diversos.

O ouro e a prata serviam não como moeda de troca, mas como representação cultural de suas crenças nos deuses e nos mistérios do mundo. Confira um pouco de cada aspecto da cultura inca e de suas atividades.

OS ARTESÃOS E A CERÂMICA

A cerâmica sempre foi considerada pelos incas uma arte menor, apesar de ter grande importância na manufatura de bens que contribuíam em muito para o dia a dia desse povo.

"O vasilhame inca é geralmente muito fino, bem polido e harmonioso em suas proporções. Entretanto, não possuía a qualidade estética da cerâmica Mochica ou Nasca. Com efeito, sua decoração é quase sempre pobre, sem inspiração nem fantasia", afirma Henri Favre, pesquisador pela Universidade de Paris em sua obra *A civilização inca*.

Alguns desses vasilhames ou peças de cerâmica podiam ser ornados com a cabeça de animais ou com algum tipo de relevo que caracterizasse um desenho. No entanto, as peças de cerâmica eram em geral apenas pintadas de cores básicas como preto ou branco sobre um fundo vermelho, representando um desenho muito comum aos incas, que eram as formas geométricas dispostas em linhas horizontais.

Grande parte dos achados arqueológicos exprime exemplos da cultura Chavín e da cultura Moche, que segundo os estudiosos teria sido muito superior aos incas na arte da cerâmica.

O ideal para os artesãos que mexiam com cerâmica é que desenvolvessem peças fáceis de serem copiadas e fabricadas em massa, uma vez que uma das grandes serventias da cerâmica era para produção de pratos, copos e talheres para a população comum.

Os ceramistas também fabricavam jarros e cântaros para transporte de bebidas, uma vez que as peças de cerâmica conservavam a baixa temperatura dos líquidos transportados, facilitando o consumo e a conservação.

A MODA E OS VESTUÁRIOS

Com uma das mais duradouras e impressionantes tecelagens do mundo, o império inca conseguiu deixar muitos exemplares para a posteridade com materiais e uma produção de qualidade, que até hoje é muito estudada pelos especialistas.

Muito mais antiga do que a cerâmica, a arte da tecelagem era realizada por homens e mulheres, que recolhiam a matéria-prima vinda das vicunhas e das alpacas das terras mais altas. Com sua lã, eram feitos ponchos, xales e túnicas.

Grande parte dos tecidos incas foram queimados com as invasões espanholas, para que estes não caíssem nas mãos dos inimigos. Isso se deu graças ao valor desses tecidos. Na sociedade inca, o tecido possuía muito mais valor do que o ouro e a prata, por exemplo, tanto que quando os espanhóis chegaram, e as relações entre os povos ainda eram amigáveis, os europeus foram presenteados com tecidos ao invés de joias.

De tão valorizada, a tecelagem e a produção de roupas chegou a ser usada pelos incas como moeda de troca. Muitos bens e até impostos eram pagos com as vestes.

OS TECELÕES

Homens e mulheres eram responsáveis pela criação e pela produção dos tecidos, sendo que era esperado que todas as mulheres de todas as classes tivessem essa habilidade. No entanto, aqueles que possuíam a habilidade necessária para a criação de figuras geométricas nos tecidos eram considerados especiais.

Esses tecelões eram considerados recebedores de um dom divino e por isso não necessitavam pagar impostos. Trabalhavam exclusivamente para o império e produziam roupas somente para a nobreza.

As túnicas do Sapa Inca eram as mais exuberantes e coloridas, feitas com fios amarelos, vermelhos, marrons e fios de ouro, em padrões geométricos.

A CASA DAS MULHERES ESCOLHIDAS

As acllas, nome dado estritamente às mulheres e as melhores tecelãs, eram forçadas a se mudar para Cusco, a capital do império, para trabalhar nas dependências da Casa das Mulheres Escolhidas, que na língua inca se chamava Acllawasi.

A Acllawasi era uma oficina patrocinada pelo império, na qual as trabalhadoras produziam roupas para a nobreza e para o exército. Outras oficinas podiam abrigar os quipucamayocs, que em tradução literal significa "guardiões dos panos finos".

Esses guardiões eram homens que possuíam também um exímio talento na arte de produzir figuras nos panos e também eram bancados pelo império a fim de produzir tecidos do mais fino trato apenas para a nobreza.

O DESIGN

Os padrões dos desenhos nas vestimentas incas podiam ir dos mais abstratos até os mais representativos possíveis, contendo desde ideogramas com significados específicos até a figura de felinos, lhamas, cobras, pássaros e plantas.

Mais que um simples desenho, historiadores hoje percebem que essas representações contavam a história do povo inca e por isso, esses tecidos são tão valiosos. A túnica militar, por exemplo, possuía um design cheio de quadriculados pretos e brancos, com um triângulo vermelho no pescoço.

FUNÇÕES DAS VESTIMENTAS

Os incas produziam três tipos de categorias de panos e cada um possuía sua determinada função. A mais áspera e usada principalmente para manufatura de cobertores era a Chusi, seguida da Awasca, que era um tipo de pano um pouco menos grosseiro e utilizado para afazeres diários ou para vestes militares. Dificilmente este último receberia ornamentos ou decorações.

Por último, existia a Qompi, um pano muito mais fino e elegante que possuía duas utilidades. O primeiro servia para ser utilizado como tributo aos deuses ou ao pagamento de impostos. O segundo era utilizado pelo imperador e pela nobreza, e também em celebrações religiosas.

Os tecidos incas indicavam riqueza e status, além de serem os mais finos presentes que poderiam ser dados ou recebidos. A vicunha, mamífero andino de pelagem fina e muito valorizado, dava origem à produção de um tipo de tecido nobre que servia para uso somente do Sapa Inca.

Os cidadãos comuns usavam vestimentas feitas com a lã da lhama ou com uma mistura de lã com algodão, enquanto pessoas que viviam mais próximas ao mar e à costa usavam uma malha fina feita de algodão, graças às altas temperaturas.

Cidadãos comuns utilizavam roupas diferentes dependendo do sexo. Os homens vestiam túnicas que alcançavam a altura dos joelhos, com tangas feitas do mesmo tecido como roupas de baixo, enquanto as mulheres utilizavam longos vestidos até a altura dos tornozelos. Cintas presas no meio do vestido seguravam-no no lugar.

OS EQUIPAMENTOS

Entre as técnicas mais comuns para a confecção das peças estavam o bordado, a tapeçaria e a mistura de diversas camadas de tecido e pintura. O que impressiona a maioria dos especialistas é que as técnicas incas não devem em absolutamente nada para as técnicas do século XXI. Rocas e teares rudimentares eram utilizados para a produção têxtil.

"O tear mais comum, ainda hoje utilizado nos Andes, consistia em duas liças colocadas sobre um plano horizontal, uma das quais era fixada a uma árvore ou a um poste, enquanto a outra era presa a uma tira que o tecelão passava ao redor do corpo, na altura dos rins", afirma Henri Favre, na obra *A civilização inca*.

Esse equipamento facilitava a vida das tecelãs incas que precisavam manter o ritmo de trabalho mesmo quando viajavam até outras cidades, uma vez que alguns tecidos necessitavam de mais de 120 pontos de costura por centímetro.

CORES E SEUS SIGNIFICADOS

Por serem exímios conhecedores da natureza, os incas experimentaram diversos tipos de corantes naturais para tingir seus tecidos, o que proporcionou uma gama muito grande de cores às vestimentas. As principais eram preto, branco, verde, amarelo, laranja, roxo e vermelho.

Todas essas cores vinham de plantas, minerais, insetos e moluscos, no entanto, a paleta inca era muito maior ao perceber que esses ingredientes podiam ser misturados para formar novas cores.

A associação que os incas faziam com relação às cores era muito objetiva. Por exemplo, a cor vermelha, que lembrava a eles sangue, era associada aos cargos de conquistadores, e era a principal cor do Mascaypacha, a insígnia do império inca.

O verde já era lembrado como a cor das florestas e de suas plantas, e consequentemente, das pessoas que viviam lá, como os agricultores.

O preto significava a criação e também a morte, enquanto o roxo lembrava o arco-íris e também podia ser associado à figura de

Mama Oclla, a primeira inca. O amarelo, por sua vez, lembrava aos incas o deus Sol e consequentemente o ouro.

CENTRO DE TRADIÇÃO TÊXTIL DE CUSCO

Fundado em 1996, o Centro de Textiles Tradicionales del Cusco tem por objetivo a preservação das tradições têxteis andinas e permanece aberto a todos que quiserem colaborar e visitar como uma casa de aprendizado sobre os incas, e principalmente um museu.

A tecelagem inca possuía diversos tipos de conexões históricas e religiosas. Sem que os incas tivessem desenvolvido a linguagem escrita, as vestes serviram de suporte para transmitirem e gravarem informações no quipu, um sistema de escrita utilizado para registrar histórias e cantos em quéchua.

O Centro permite às novas gerações aprenderem sobre as técnicas de costura bem como os costumes e as figuras contidas nas tecelagens. Feito de tecelões para tecelões, o Centro oferece um espaço para que esses trabalhadores exponham e vendam seus trabalhos que podem chegar nos dias de hoje a preços altos.

Peças tecidas com lã de vicunha, por exemplo, podem chegar a até US$ 5 mil, devido à dificuldade de coletar a matéria-prima e à raridade desta.

"Hoje, várias organizações, entidades governamentais e os próprios tecelões estão tentando reviver a compreensão e a apreciação dos têxteis andinos. O turismo tem desempenhado um papel importante neste processo. Como visitantes estrangeiros demonstram grande interesse na cultura indígena e na arte, as pessoas locais estão começando a reavaliar como eles tratam sua própria cultura e tradições. [...] trabalhar com os anciãos da comunidade significa recuperar os conhecimentos e técnicas antigas, além dos desenhos que foram quase perdidos", informa o Centro de Textiles Tradicionales del Cusco, por meio de seu site oficial.

A MÚSICA

Os músicos incas eram uma das classes que se equiparavam aos artesãos. Desenvolvedores dos próprios instrumentos, os músicos viviam e trabalhavam sob a tutela do império, juntamente com arquitetos, ourives e outras profissões de maior privilégio.

Participavam e levavam a música em todo o tipo de evento inca, tocando em festas que comemoravam o nascimento de uma nova criança, seja da nobreza ou do povo, até mesmo em cultos e em outras cerimônias religiosas como as celebrações aos deuses.

No exército inca, os músicos anunciavam, por meio de trombetas feitas com o chifre dos animais ou com conchas recolhidas nas costas do império, a aproximação do inimigo ou o prelúdio da batalha. Até mesmo os chasquis, mensageiros do império, possuíam um pequeno instrumento musical com o qual apitavam quando estavam se aproximando do ponto de entrega da mensagem.

Apesar de muitas funções não utilizarem a música de forma contínua, o músico era sempre requisitado, uma vez que eram constantes as celebrações aos deuses.

OS INSTRUMENTOS

A música inca possuía muitos tipos de instrumentos. A maioria deles era feitos com materiais encontrados nas selvas e na natureza, como a madeira e a pele de animais. Entre os principais instrumentos, constam as flautas, os tambores e os chocalhos.

O SIKURIS

O instrumento mais tradicional é o sikuris, ou zampoña, um instrumento feito com diversos tubos de madeira, presos lado a lado por tecidos ou mesmo fibra vegetal. Esses tubos podiam ter diversos comprimentos e espessuras, o que caracterizava a mudança de tom. Juncos finos (*chillis ou icas*) produziam notas altas de soprano, enquanto juncos espessos (*toyos*) geravam as notas baixas e baritonais.

Os gaiteiros precisavam ter fôlego para obterem a sonoridade desejada dos instrumentos. Eles circundavam o seu condutor e alternavam as notas entre dois ou mais tocadores, que sopravam na abertura de cada junco, como quem cria diferentes sonoridades ao soprar garrafas de vidro.

AS FLAUTAS

As flautas, chamadas de quenas, eram feitas de bambu ou de ossos vindos das pernas de animais. Dependendo do tamanho, as quenas poderiam produzir notas altas ou baixas, diferentemente da tarka, outra flauta de madeira muito usada em rituais religiosos e que possuía um som muito parecido com o do oboé.

OS CHOCALHOS

Os chocalhos tinham basicamente a função de dar ritmo a todas as outras melodias produzidas pelas flautas e pelas Sikuris. Chamados pelos incas de chác-chás, eram feitos com os cascos de lhamas e cabras, que presos a uma corda, raspavam entre si e produziam o som necessário ao acompanhamento inca.

O chaucha, outro tipo de chocalho, é feito a partir de diversas sementes e grãos envoltos em uma espécie de casulo natural. Sua forma era muito semelhante às maracás mexicanas e fez parte da cultura inca durante muito tempo, principalmente no período antes da chegada dos espanhóis.

Um dos usos mais comuns dados a esses chocalhos, especialmente ao chác-chás, era prendê-los nos tornozelos e nos pulsos, fazendo de seu ritmo parte integrante dos movimentos nas danças ritualísticas e nas celebrações religiosas. Assim, cada ritmo era produzido de acordo com os seus movimentos corporais.

PALO DE LLUVIA

Esse era nome dado pelos espanhóis a um instrumento muito utilizado pelos incas e que posteriormente recebeu outros nomes ao longo da história. Em português, o instrumento se chama pau de chuva e possui a função de complementar os ritmos com um som que se assemelha ao barulho natural da chuva.

Os incas cortavam um pedaço de bambu e o perfuravam, fazendo furos em sua superfície. Depois, para obter o som da chuva, eles colocavam através dos buracos muitos feijões secos e selavam as extremidades para que os grãos não escapassem.

Para produzir o som da chuva, bastava virar o instrumento de cabeça para baixo e deixar os feijões escorrerem pela madeira. O atrito das sementes na madeira criavam um som como o barulho da chuva.

TAMBORES

Os tambores têm estado na humanidade desde os tempos primitivos, quando os primeiros humanos batiam ossos e pedras contra os troncos das árvores produzindo sons. Nos Andes isso não foi diferente, e os incas provaram isso utilizando os tambores em diversas áreas sociais, como a religiosa, a militar e em celebrações.

A versão dos tambores incas era feita com peles de animais esticadas sobre uma peça de madeira oca por dentro. Para uso militar eles tinham uma tradição um pouco mais tenebrosa. A pele utilizada nos tambores militares não era de animais, mas sim retirada dos corpos dos inimigos incas, que eram assassinados. Motivo suficiente para atemorizar os inimigos dos incas quando escutavam as batidas contra as baterias feitas com pele humana.

A DANÇA

Na cultura inca as pessoas trabalhavam muito e todos os dias, mas nem por isso faltava tempo para diversão. A dança, além de uma forma de expressão, servia aos incas para que honrassem os deuses, celebrassem as colheitas e principalmente relaxassem de seus serviços.

As danças incas, assim como nos dias de hoje, contavam histórias e podiam servir entre outras coisas para que homens pedissem alguma mulher de seu interesse em casamento ou mesmo para comemorar fatos da vida, como o nascimento de uma criança ou a morte.

Atualmente são conhecidas cerca de 700 danças desse período histórico. Algumas são executadas coletivamente, enquanto outras, por homens apenas, ou por mulheres apenas.

Uma das danças mais populares se chama Harawi, e foi originada na poesia inca. A história, de forma geral, trata sobre a solidão e sobre a perda de um amor não correspondido. Já a dança Huayno é feita na maioria dos festivais e apresenta casais dançando juntos apesar de quase nunca se tocarem.

Muitas danças tradicionais são feitas utilizando ritmos mais modernos apesar de serem tradicionalmente incas, e misturam sons de guitarra com ritmos africanos, criando uma nova sonoridade andina.

Já nos tempos antigos, quando os espanhóis chegaram, as tradições incas já estavam sendo interrompidas ou modificadas. Por exemplo, os instrumentos incas foram substituídos pouco a pouco pelo violino e a harpa.

AS HISTÓRIAS POR TRÁS DA ARTE E SEU PASSADO PERDIDO

Os incas não possuíam um sistema de escrita e, portanto, muitas das tradições eram passadas de forma oral, incluindo suas histórias. A herança cultural e literária dos incas era transmitida em formato de peças teatrais com muita música e dança.

A maioria das histórias provinha de triunfos e outros feitos de guerras e batalhas nas quais o deus Sol, o Sapa Inca e todo o povo eram muito enaltecidos. A jornada heroica de algum guerreiro, como o fundador do império, por exemplo, também poderia ser recontada nessas peças.

Contudo, a maioria desses dramas foi perdida no tempo graças à colonização espanhola, que impondo o catolicismo, proibiram essas comemorações e encenações por sempre enaltecerem os imperadores como deuses ou mesmo o panteão politeísta inca, indo contra os valores dos padres católicos.

O TEATRO REAL

Essas encenações e consequentemente sua música e sua dança eram feitas para o Sapa Inca e sua corte. Os amautas, sábios do império, desenvolviam as histórias que poderiam ser tragédias ou comédias dependendo do tema ou da época.

O mais interessante é que as encenações não eram apenas fictícias quando se tratava dos papéis dos atores. Por exemplo, se um curaca, um capitão ou mesmo um comandante do exército tivesse seu nome na história, este deveria interpretar a si mesmo, e isso incluía o imperador e os nobres.

Na obra de Garcilaso de la Vega, *The incas: royal commentaries*, ele descreve bem esse tipo de prática. "Os atores eram... incas ou nobres, curacas, capitães e até comandantes de campo: cada um, na verdade, era obrigado a possuir na vida real a qualidade, ou ocupar a função, do papel que ele interpretava", afirma o cronista espanhol.

Esculturas incas

11
A ARQUITETURA E SUA FUNÇÃO NA SOCIEDADE INCA

AS ESTONTEANTES CONSTRUÇÕES DE
PEDRA IMPRESSIONAM ATÉ OS MAIS
APURADOS ESPECIALISTAS

A arquitetura inca, assim como as obras arquitetônicas dos povos anteriores aos incas, é estonteante aos olhos e impressiona diversos especialistas que, até hoje, não foram capazes de descobrir todas as técnicas utilizadas pelo povo andino.

As dimensões de seus edifícios vislumbram os olhos dos visitantes e turistas. Entre as técnicas incas de construção, estava o nivelamento do solo para que a construção sempre estivesse bem sustentada.

Uma base retangular era construída com as pedras mais pesadas para assegurar a fixação. Os blocos geralmente possuíam uma forma poligonal e irregular, mas que graças às mãos hábeis dos pedreiros, estes se encaixavam perfeitamente.

A argamassa não era necessária na civilização inca. Os blocos podiam ser colocados de duas formas. A primeira consistia em limar as pedras criando aberturas e espaçamentos para que estas se encaixassem perfeitamente, e a segunda consistia em pegar as rochas em seu estado natural e colocá-las lado a lado, no entanto, esta última era a menos utilizada de todas as técnicas.

O PEDREIRO INCA

Uma profissão muito bem vista pelo povo inca era a de pedreiro. Ao contrário de hoje, esses profissionais tinham uma tarefa ainda mais árdua do que simplesmente carregar os materiais necessários para as construções.

A andesite era extraída de rochas, talhada com instrumentos de cobre ou de bronze e, em seguida, era polida com areia úmida.

Tão duras quanto o granito, a andesite pode ser encontrada no complexo Sayhuite, em forma de escadas e tronos.

Andesite em sua forma bruta e uma enigmática rocha encontrada em Sayhuite, um complexo arqueológico, no distrito de Curahuasi

Com ferramentas rudimentares, o pedreiro inca era responsável por, além de colocar as pedras em seus devidos lugares, limá-las de tal forma que se encaixassem perfeitamente. Entre as ferramentas mais usadas, estava um martelo feito de pedra mais resistente do que a utilizada nas construções.

A força bruta, e muita paciência, eram dois dos requisitos necessários aos pedreiros, que lixavam e esculpiam as pedras com seus martelos de pedra e desgastavam as rochas com areia úmida para que estas ficassem as mais lisas possíveis.

OS MATERIAIS

As pedras eram o principal material de trabalho dos pedreiros e arquitetos incas. Dentre os tipos mais usados de pedra, estava a andesita preta, o calcário yucay e o diorito verde. Além de martelos de pedra, os pedreiros ainda podiam utilizar ferramentas feitas de cobre ou bronze para ajudar na escultura das pedras.

Já os materiais utilizados para mover esses pesados blocos de pedra eram os mais diversos. Cordas, troncos, postes e rampas eram feitos para auxiliar os trabalhadores, que podiam ainda utilizar um complexo sistema de alavancas para erguer as pedras.

As estruturas mais humildes, localizadas em áreas onde o clima era mais seco, podiam ser feitas com tijolos de lama seca e uma argamassa feita com lama também. Pedras mais frágeis, encontradas nos campos, podiam ser usadas para dar maior resistência a essas paredes.

Para os telhados, os incas optaram por utilizar palha, sustentada por postes finos de madeira ou cana. Para evitar que a chuva entrasse, muitos dos telhados podiam ser inclinados em ângulos de 60 graus.

Alguns edifícios se caracterizavam pelo uso de um teto como uma falsa abóbada de pedra, uma técnica provavelmente originária dos povos do altiplano andino.

O sítio arqueológico de Cantamarca, por exemplo, é caracterizado por suas estruturas circulares com falsas abóbadas sustentadas por colunas de pedra.

Construída no cume de uma colina, Cantamarca tinha poucos espaços planos. Seus edifícios eram circulares, com paredes e tetos de pedras unidas com lama, sem reboco e sustentados por uma coluna central.

12

OS DEUSES E OS ELEMENTOS DA NATUREZA

ASSIM COMO TODAS AS GRANDES CIVILIZAÇÕES DO MUNDO, OS INCAS POSSUÍAM SEU RICO PANTEÃO E SUA MITOLOGIA

Deuses poderosos eram responsáveis por muitos dos aspectos da vida inca e a religião e a devoção a esses deuses era obrigatória a todos do império.

O ponto principal sobre a mitologia inca é que seus deuses eram todos baseados em elementos da natureza. Todo e qualquer fenômeno natural que fugisse do entendimento do povo inca era tido como a obra de um deus.

Os deuses possuíam cada qual, seu elemento. Dentre os principais, é possível citar Llapa, que era o deus dos trovões e dos raios, e também Intiparra, que era o deus da chuva.

Outros deuses podiam tomar uma proporção descomunal, representando astros ou até mesmo o planeta, como a deusa Pachamama, tida como a deusa da Terra, ou mesmo o grande pai do imperador, o deus sol Inti.

O DEUS VIRACOCHA

O deus Viracocha é o mais importante de todos os deuses da mitologia inca. Criador dos mundos e de todas as coisas vivas, acreditava-se que ele estava em toda parte sendo onipresente e tomando assim várias formas.

O fato de tomar várias formas esclarece de certa forma os motivos de Viracocha ter tido vários nomes e lendas, como Pachacamac ou Coniraya. Entre suas maiores criações estão os três mundos: o Hanan Pacha, mundo celestial, o Kay Pacha, ou o mundo material, e o Uku Pacha, ou o mundo dos mortos.

Esse deus é tido como um guia, que após finalizar seu trabalho de criação, viajou para uma dimensão muito distante, mas sempre guiando e ensinando a humanidade sobre as artes e a civilidade. Algumas lendas dizem que o deus Viracocha, depois de finalizado seu trabalho, prometeu retornar um dia.

A CRIAÇÃO DOS GIGANTES

Segundo as crenças incas, a primeira criação do deus Viracocha teria sido uma raça de gigantes, feitos a partir de pedras gigantescas durante uma era de trevas e escuridão. No entanto, os gigantes se provaram rebeldes e indisciplinados, e por isso Viracocha os castigou com um maremoto que alagou o mundo.

Após esse grande maremoto, é que começa a lenda inca da criação do homem e da mulher com Manco Capác. Os incas acreditavam que o deus supremo havia criado os humanos a partir do barro, e junto deu-lhes roupas, uma língua para falarem e a agricultura e as artes para que sobrevivessem.

Viracocha também teria criado todos os outros deuses do panteão inca, incluindo o deus sol Inti e a deusa Lua Mama Quilla, a partir de duas ilhas que se localizavam no centro do lago Titicaca.

O DEUS CON

Em algumas lendas, Con toma a forma de Coniraya, uma espécie de avatar do deus Viracocha. A explicação para isso é mais uma vez a apropriação de deuses vindos de outras tribos e povos conquistados. Con é natural de Huarochiri, região costeira situada nas proximidades de Lima

Conta a lenda que certo dia, Con chegou do oceano pacífico trazendo consigo o vento, abrasador e que até hoje resseca a costa peruana. Não possuía ossos e era incrivelmente veloz, andando por dentro das montanhas e grutas.

Pelo descuido dos homens ao cultuar Con, o deus transformou toda a terra da região em um vale seco, cheio de dunas de areias e estéril.

A DEUSA PACHAMAMA

Seu nome na língua inca quer dizer literalmente "Mãe Terra" e, como tal, representava a Terra podendo ter um caráter semelhante ao de uma deusa da colheita. No entanto, não se sabe ao certo se esta é uma deusa originada na cultura inca ou apropriada de outros povos conquistados.

Alguns estudiosos acreditam que Pachamama era uma divindade anterior aos incas. Eles a incorporaram ao seu panteão, assim como fizeram com outras divindades dos povos conquistados.

Pachamama era uma das maiores divindades incas, além de ao mesmo tempo ser tomadora e doadora da vida. Para o povo andino, suas proporções se assemelhavam à de um ser angelical e uma representação física da agricultura.

Sendo assim, a deusa agia não como uma criadora da vida, mas sim como uma mantenedora da mesma. Essa visão de mantenedora da vida traz outro tipo de entendimento sobre como os incas viam a dicotomia entre vida e morte.

Para eles, a morte era algo natural e que não necessitava remorso ou pesar, uma vez que para a manutenção da vida, feita pela deusa, se fazia necessária a morte. Portanto, a deusa é tanto utilizada para representar a vida quanto a morte.

O curioso é que ao mesmo tempo em que ela era apresentada como uma figura angelical, graças a essa dicotomia entre vida e morte em suas representações, em outras vezes era vista como um animal selvagem e carnívoro com diversas bocas que gotejavam sangue.

Essa representação bruta da deusa é uma maneira dos incas entenderem o processo de decomposição corporal, uma vez que a terra (pachamama) "engolia" os mortos com suas numerosas bocas.

Hoje, o povo da região afirma que a deusa tomou a forma de um espectro errante, que vaga pelos Andes chorosa, lamentando a morte e o fim da civilização que um dia a cultuou.

Estátua dourada da fonte de água de Manco Capác, localizada em Cusco, Peru

13
OS RITUAIS E A VIDA APÓS A MORTE

A RELIGIÃO INCA ERA PARTE DA
CULTURA DIÁRIA DO POVO, DESDE O
NASCIMENTO DE SEUS HABITANTES

As histórias do fundador da civilização inca já eram todas baseadas nos desejos do deus Sol, que havia mandado seu filho para civilizar as tribos selvagens e espalhar a sua vontade.

Essa vontade do deus Sol também fez com que imperadores assumissem o trono pela hereditariedade, guerras fossem travadas contra tribos indígenas da região, bem como templos fossem construídos.

O panteão inca, claro, não se resumia somente ao deus Sol, que era pai do imperador. A deusa Pachamama representava a terra, enquanto o deus Con representava o vento. O Titã primordial e deus da criação era Pachayachachic. O panteão inca honrava as forças da natureza, além de aspectos do mundo natural, que recebiam tributos de respeito e admiração.

O calendário inca, baseado nos movimentos do sol, trazia 365 dias dos quais mais de 120 eram dedicados a rituais ou hábitos religiosos. A rotina inca era regada a muito trabalho, no entanto, em muitas das noites o povo se dedicava a frequentar os templos e ouvir os sacerdotes, que faziam oferendas constantes aos deuses.

A MAIOR FESTA RELIGIOSA

O maior evento inca que existia, e que acontecia todos os anos, era o Inti Raymi, a festa em homenagem ao deus Sol. Um dos principais deuses do panteão inca e o próprio pai do imperador possuía seu próprio festival, completo com danças e banquetes.

Segundo relatos do padre Cristóbal de Molina, na obra *The fables and rites of the incas*, todas as pessoas de Cusco saíam de suas residências com as vestes mais bonitas e ricas que possuíam, e de acordo com o que podiam usar para fazer reverências ao Sol, e ao Imperador.

Eles sentavam e passavam o dia comendo e bebendo, dançando e celebrando em homenagem ao deus Sol, e após toda a festa eles rezavam ao misericordioso deus por poderem estar presentes no ritual e clamavam por mais um ano sem doenças e com muita prosperidade.

Hoje, essa mesma festa é realizada no dia 24 de junho, quando uma parada feita pelas famílias rurais passa pelas ruas de Cusco até o forte de Sacsayhuaman. Uma pessoa é selecionada para ser o Imperador no dia, e veste roupas próprias para o evento com muito brilho e finamente decoradas. Um dos festivais mais importantes do Peru, o Inti Raymi, ou Festival do Sol, é a mais importante celebração do calendário de Cusco atualmente.

ESPÍRITOS E AMULETOS

Os incas possuíam também a crença em objetos dotados de força sobrenatural e que, por isso, ou pelo toque dos deuses, esses objetos eram passíveis de veneração. As huacas, nome dado a esses objetos, podiam ser vistos em festas religiosas e no pico de altas montanhas.

A história da fundação do império inca já contava a importância dessas huacas. O próprio irmão de Manco Capác, Ayar Uchu, tomou o lugar da huaca original que se encontrava nas dependências do Vale Sagrado, no mito dos irmãos Ayar.

Geralmente todos esses objetos estavam localizados nos altos e íngremes cumes das montanhas andinas ou das geleiras, e eram dotados de alguma característica que os tornava "especiais".

O interessante é que o título de huaca podia ser dado também a locais que fossem considerados sagrados, como cavernas, vales, montanhas ou outros tipos de construções naturais.

Esses objetos, por sua vez, podiam conceder bênçãos sagradas em prol de quem o utilizasse. Uma pedra que tivesse um buraco atravessado por um ou dois ramos entrelaçados, por exemplo, poderia ser considerada um amuleto com poderes curativos.

Curandeiros utilizavam esses objetos, acrescidos das pastas e remédios feitos à base de ervas naturais, para tratar dos doentes. Eles acreditavam que para que o enfermo fosse curado, este deveria estar em contato com a natureza, uma vez que a essência das coisas era uma só.

Com isso, o enfermo quando curado graças às pastas e remédios, atribuía esse sucesso aos cânticos religiosos proferidos junto ao amuleto mágico, que retirava os demônios e os espíritos maléficos do doente.

OS RITUAIS E SUAS CRENÇAS

O povo inca possuía também, assim como toda cultura no mundo, suas crenças nos deuses e em diversos tipos de rituais para entrar em contato com eles. Graças a essas crenças é que hoje podem-se observar as ruínas de templos e outras construções incas, que um dia foram monumentais.

Grande parte dos rituais foi esquecida graças à falta de um sistema de escrita por parte do povo inca. A maioria das tradições e dos rituais foram deduzidos de restos arqueológicos encontrados nas bases do solo que um dia pertenceu ao império.

Os incas possuíam alguns rituais destinados aos deuses, mas geralmente eram sacrificadas flores, bebidas como a chicha ou vestimentas que caracterizavam alto poder na sociedade inca, lançadas numa fogueira feita nas cerimônias.

Lhamas também eram sacrificadas junto com porquinhos-da-índia, mas não era tão comum. Mais raro ainda eram os sacrifícios humanos, no entanto, durante todos os séculos de existência do império é possível considerar alguns.

Entre os rituais incas mais conhecidos estão o do Inti Raymi, festival que caracterizava uma série de rituais oferecidos ao deus Sol, o Capác Cocha, que é conhecido como o mais tenebroso dos rituais incas de morte, entre outros mais leves, como o do primeiro corte de cabelo e outros mais cotidianos.

O RITUAL PARA ACOMPANHAR O IMPERADOR

Relatos históricos feitos por cronistas espanhóis em contato com os incas afirmam que após o falecimento de Capác Yupanqui, em 1350, foi praticado um ritual de morte no qual as esposas do imperador, juntamente com seus servos, foram todos para o Hanan Cusco, o céu inca, para servi-lo lá.

O relato foi feito por Garcilaso de la Vega, e exprime algumas das práticas mais terríveis a serem praticadas nesse ritual, como o suicídio e o funeral vivo.

A. S. Franchini contesta que essa prática fosse feita de bom grado, acreditando que muitos participavam desse ritual a contragosto.

"Quando morria o inca, ou algum dos principais curacas se matavam e se deixavam enterrar vivos, os criados mais favorecidos e as mulheres mais queridas diziam que queriam ir servir a seus reis e senhores na outra vida", afirma Garcilaso, em sua obra original.

O RITUAL PARA PREMONIÇÃO

Outro ritual inca que não era feito com tanta frequência era o ritual da premonição. Também descrito na obra do cronista espanhol Garcilaso de la Vega, esse ritual não possuía um nome específico, mas era dito ser capaz de mostrar futuras desgraças.

De acordo com esses registros do cronista espanhol, os conselheiros do imperador Yahuar Huacac teriam aconselhado-o a utilizar o ritual para saber se as palavras de seu filho, informando da invasão dos Chancas, eram verdadeiras. Porém, o imperador não o realizou.

O ritual era feito para consultar os augúrios e consistia em abrir de forma selvagem por meio de um talho nas costas de um carneiro a fim de retirar os pulmões e o coração do animal. Com isso, seria possível confirmar, através de um aviso dos deuses, se o relato era verdadeiro, ao ver as entranhas palpitantes do carneiro.

O SUMO SACERDOTE

Os sacerdotes, por sua vez, tiveram um papel fundamental na sociedade inca por estarem em um patamar social mais elevado. A eles eram atribuídas funções religiosas dentro dos templos, bem como a liderança de diversos rituais, o que para a sociedade inca era considerada uma posição honrada e privilegiada.

O sumo sacerdote de Cusco era o grau mais alto e mais importante dentro da religião inca, abaixo do imperador e dos deuses. O sumo sacerdote, além de ser alguém de confiança do imperador, geralmente um irmão ou parente muito próximo, era o chefe de todos os sacerdotes do império.

Sob sua jurisdição estavam os templos e santuários de todo o império, e geralmente era do sumo sacerdote a decisão de nomear os respectivos sacerdotes dos templos menores, bem como os outros sacerdotes que o ajudariam no grande templo.

As cerimônias mais importantes eram presididas e executadas por ele e geralmente ele possuía uma equipe de sacerdotes que o ajudavam em suas tarefas. Em todos os templos maiores o sacerdote em comando possuía essa equipe e cada um possuía, por sua vez, uma determinada função.

Entre essas funções estavam a de rezar as orações aos deuses, a da oferta dos sacrifícios e da interpretação dos oráculos, bem como a de ouvir as confissões dos devotos. Nos templos menores, aqueles que não ficavam em grandes centros do império e nem na capital, todas essas funções ficavam a cargo de um único sacerdote.

A FUNÇÃO DOS RELIGIOSOS E SEUS CARGOS

Trazendo os cargos religiosos para uma visão um pouco mais moderna, o sistema hierárquico religioso inca não era tão complexo. O sumo sacerdote recebia o nome de uma uillca, e hoje seria o equivalente ao Papa da Igreja Católica.

Abaixo dele existiam os hatun uillcas, que recebiam um papel parecido com o dos arcebispos, e eram administradores regionais dos assuntos religiosos e entre suas principais funções estavam a de supervisionar os sacerdotes de menor grau.

Esses sacerdotes, por sua vez, recebiam o nome de yana uillcas e serviam como os sacerdotes de pequenas comunidades. Hoje, esse cargo poderia ser comparado ao dos padres em exercício em paróquias de pequenas cidades, ou ao dos rabinos em sinagogas.

Entre as funções de um sacerdote, estava o dever de pregar sobre o deus Sol para comunidades recém-conquistadas pelos incas e para o público mais jovem, como crianças e adolescentes.

AS PUNIÇÕES AOS PECADORES

Outra das funções desses sacerdotes era ouvir as confissões das pessoas comuns e direcioná-las para um caminho considerado correto pelos incas. No entanto, se o pecado cometido fosse grave, uma punição deveria ser colocada em prática.

Geralmente essa punição vinha do próprio sacerdote, porém não era nada leve. As mais brandas eram as punições físicas, e envolviam entre outras coisas ter uma rocha arremessada na cabeça.

Outras mais pesadas significavam ter de viver longe de qualquer tipo de contato humano, o que era terrível para uma sociedade que dependia do convívio social para progredir e para seus integrantes sobreviverem. Esse isolamento era, geralmente, acompanhado de uma vida sofrida nos desertos peruanos, na qual o homem ou a mulher deveriam buscar por si só sua própria comida.

AS VIRGENS DO SOL

As virgens do Sol são outra casta social inca que causa fascínio e curiosidade a todos. As virgens do Sol não eram escolhidas por acaso e geralmente possuíam posição de prestígio antes de serem colocadas sob o regime religioso.

As garotas eram, na grande maioria das vezes, filhas de nobres e curacas que possuíam alto poder social ou posição proeminente na sociedade. Escolhidas pelos administradores gerais, os hatun uillcas, recebiam o nome de acllas e começavam o serviço religioso aos 10 anos de idade.

A escolha não era aleatória mesmo entre as garotas da nobreza. As futuras acllas deveriam ter uma beleza física evidente e não possuir nenhum defeito ou deformidade no corpo. A honra de ser uma virgem do Sol não poderia ser recusada de maneira nenhuma.

O ESTUDO E AS MÃES GUARDIÃS

As jovens garotas ao se converterem à vida religiosa deveriam receber seus estudos na Acllahuasi, uma espécie de casa que servia, além de moradia, para preparar as garotas para a vida.

As garotas eram instruídas por antigas virgens do Sol que subiam de posto dentro da instituição e se transformavam em mamacunas, uma espécie de mãe guardiã que orientava e ensinava a elas tudo sobre o ofício que praticariam.

Se uma garota fosse muito estudiosa e competente no ofício, poderia se tornar instrutora para as mais jovens. Não existia um limite de idade para uma mamacuna, apesar de este ser um cargo exercido apenas por quem já possuía bastante experiência.

OS TRÊS CAMINHOS DAS VIRGENS

Durante sua orientação, as virgens do Sol escolhiam e eram treinadas para seguir um dos três caminhos da religião.

O primeiro era o caminho do sacerdócio, no qual a garota seria uma sacerdotisa na vida adulta, o segundo caminho era o do casamento, no qual a garota se tornaria uma das esposas do Sapa Inca ou de algum nobre do alto escalão, e o terceiro era o caminho do sacrifício.

Para uma garota que se tornasse uma sacerdotisa do Sol ou da lua, seu primeiro trabalho seria o de tecer finas vestimentas para o Sapa Inca, além de preparar comidas e roupas para servirem de oferenda aos deuses incas e participar dos rituais.

A rotina dessas sacerdotisas era muito solitária em alguns momentos, e seus votos com a religião eram sagrados, como ilustra Barbara A. Somervill, na obra *Empire of the incas*.

"No auge do império inca, podem ter existido mais de 1.500 acllas, as quais os espanhóis chamavam de 'as virgens do Sol'. Quando uma aclla que estava destinada a se tornar uma sacerdotisa atingia a idade adulta, ela fazia seus votos de comprometimento com a vida religiosa. Estas sacerdotisas raramente viam algum homem – nem mesmo um alto sacerdote do Sapa Inca. Se uma sacerdotisa tivesse um amante, ambos eram executados", relata a autora.

Já as garotas mais bonitas, geralmente, se tornavam esposas secundárias do Sapa Inca, enquanto as que seguiam o terceiro caminho, tornavam-se sacrifícios humanos quando necessário.

Os cidadãos comuns pagavam os impostos, e parte desses impostos era desviado para sustentar os sacerdotes e as acllas, suprindo a comunidade religiosa com vestimentas, comida, ouro e prata e outros objetos que poderiam ser utilizados nos templos.

OS RITOS FUNERÁRIOS

Os ritos fúnebres no império inca tomavam outra proporção, principalmente com relação à visão de morte que este povo tinha. Esses ritos iam desde as mortes naturais e o costume de enterrar os corpos, até a mumificação dos grandes imperadores.

No entanto, dentre todos os costumes e ritos fúnebres dos incas, um em particular era tido como o mais importante de todos, o Capác Cocha, conhecido popularmente como "Obrigação Real".

O CAPÁC COCHA

Considerado o maior rito de morte do império inca, era dedicado ao deus Viracocha e ofertava crianças a esse deus entre os meses de abril e julho. Esse sacrifício era realizado nos cumes dos vulcões e montanhas como um sinal de gratidão e reverência.

O rito recebe o nome de "Obrigação Real", justamente por estar vinculado à ocasião da morte de um imperador, ou mesmo à sua coroação. Geralmente as crianças escolhidas vinham de famílias relacionadas à nobreza e eram vistas como mensageiras dos homens aos deuses.

Recebiam o título supremo de "filhas do Sol" e eram consideradas privilegiadas, pois fariam companhia ao deus.

Geralmente a cerimônia principal se dava na capital imperial de Cusco e, logo após, essas crianças, que não deveriam possuir nenhum defeito físico, assim como as outras virgens do Sol, tomavam seu papel em um cortejo em direção à montanha que receberia o sacrifício.

Essa viagem poderia durar semanas ou mesmo meses e terminava com a morte das vítimas, seja em rituais sangrentos envolvendo degolamentos, ou tendo seus corações arrancados, ou mesmo por hipotermia ao serem abandonadas nos cumes gelados das montanhas.

Neste ritual, os pais dessas crianças não poderiam expressar nenhum pesar, arrependimento ou dor ao ver seus filhos sendo sacrificados. Isso fazia parte de uma tradição que também incentivava os povos conquistados a respeitarem os deuses incas.

"Esses assassinatos rituais tinham também a função política

de impor aos povos colonizados um culto originário de Cusco (não por acaso, a primeira parte do rito devia passar-se na capital inca com a consagração e 'legitimação' das vítimas) e exportado depois por todo o império sob a forma do culto das novas huacas, as quais só permaneceriam ativas enquanto fosse do agrado do Sapa Inca", afirma A. S. Franchini, na obra *As melhores histórias das mitologias asteca, maia e inca*.

As crianças, por sua vez, não sentiam nenhum tipo de medo ou terror justamente pelo fato de estarem drogadas, sob o efeito de substâncias alucinógenas como a chicha (cerveja inca) ou pelo uso de infusões de coca.

Segundo relatos do arcebispo de Lima, Hernández Príncipe, uma garota de aproximadamente 10 anos chamada Tanta Carhua teria demonstrado sentimentos que diziam tudo, menos que a execução era feita com o aval da criança. Entre as palavras da criança, estavam: "Acabem já comigo, que para festas bastam as que em Cusco me fizeram".

Os espanhóis, após dominarem o império, aboliram esse ritual, que a partir da chegada dos europeus jamais foi realizado outra vez.

OS SACRIFÍCIOS

A maioria dos sacrifícios tinha um determinado propósito. A princípio, qualquer coisa poderia ser sacrificada aos deuses, desde que tivesse valor para tal. Com isso, era comum os incas utilizarem em seus sacrifícios e oferendas, milho e outros alimentos, bem como vestimentas e lhamas.

De acordo com a cultura inca, cada deus tinha necessidades específicas e com isso as oferendas a esses deuses deveriam obedecer e estar de acordo com as necessidades deles.

Com isso, o deus Viracocha, que foi o fundador do mundo, de acordo com os incas, recebia constantes sacrifícios envolvendo lhamas marrons, enquanto as lhamas brancas eram dedicadas ao deus do Sol, Inti. Ainda, o deus do trovão Llapa receberia sacrifícios de animais pintados ou manchados.

OS SACRIFÍCIOS HUMANOS

É preciso entender que os sacrifícios humanos não eram tão comuns quanto na cultura asteca, por exemplo, ou mesmo o quanto esse tipo de prática é divulgada. Na verdade, eram raras as ocasiões em que havia sacrifícios humanos.

Os incas não acreditavam que os sacrifícios humanos regulares surtiam mais efeito do que o sacrifício de animais. O sacrifício humano, portanto, era realizado apenas caso outros sacrifícios não funcionarem ou em casos extremos como terremotos, eclipses solares e outros eventos considerados apocalípticos pelos incas. Meninos e meninas na faixa dos 10 anos de idade, ou até mais jovens, eram as vítimas comuns nos sacrifícios humanos.

Para acalmar os deuses, em eventos desse tipo, os incas realizavam o ritual de sacrifício humano ou então em ocasiões muito especiais, como no caso do ritual Capác Cocha.

A VISÃO DE MORTE

Os incas acreditavam na alma e no poder que esta tinha para com os caminhos das pessoas. Muito devotos, sua visão de morte era poética e muito bem definida, e isso posteriormente definiu a utilização de todos esses rituais.

Na visão dos incas existia a vida após a morte e o corpo que se tinha nesta vida era possuído por duas almas. Quando a pessoa morria, cada uma das almas seguia por um caminho diferente.

Um dos caminhos levava até a origem desta pessoa, e a natureza desta origem dependia de quão produtivo e virtuoso o indivíduo tinha sido na vida terrena. Já a outra alma permanecia no corpo para sempre, desde que este corpo fosse mumificado.

AS MÚMIAS

Assim como outras civilizações andinas que precederam os incas, estes tinham o costume de enterrar seus mortos, mas também de mumificar aqueles que tivessem tido uma trajetória gloriosa em vida ou seus imperadores.

Inclusive, algumas das múmias mais importantes eram retiradas de suas tumbas durante cerimônias e festivais para que participassem das tradições como fizeram um dia em vida. Era costume dos incas também alimentar e tratar as múmias dos antigos imperadores como se estivessem vivas, tanto que a múmia possuía até mesmo sua própria corte real.

Graças aos climas secos da região dos Andes, muitas das múmias foram muito bem preservadas, o que ajudou em muito os arqueólogos e historiadores nas descobertas sobre o povo andino.

TÉCNICAS DE EMBALSAMAMENTO

As técnicas de embalsamamento inca são completamente diferentes daquelas empregadas por povos antigos de outras regiões do mundo, como os egípcios, por exemplo. Nas técnicas incas, os órgãos permaneciam intactos dentro dos mortos, enquanto no Egito eles eram retirados.

Isso diz muito sobre as crenças incas que acreditavam que na outra vida os mortos precisariam de todos os seus órgãos no lugar. No entanto, grande parte dos processos de mumificação eram realizados graças às temperaturas e os climas nas regiões andinas.

Os corpos eram deixados em desertos para sofrerem um rápido processo de desidratação, enquanto outros poderiam ser deixados nos cumes gélidos das montanhas andinas, os quais congelavam os corpos para sua preservação. Esse processo posteriormente recebeu o nome de liofilização e é utilizado até hoje na medicina atual para preservar corpos.

Outra técnica muito utilizada era colocar álcool nas múmias para que elas desidratassem. Culturas andinas anteriores utilizavam sal como conservante dos cadáveres, além de remover os fluidos corporais dos mortos.

As múmias de pessoas comuns podiam ser enterradas em salas ou em cavernas que estivessem dentro de sua comunidade. Cada região possuía um jeito específico de mumificar os corpos. Nas regiões serranas os corpos ficavam em posição fetal, enquanto nas costeiras ele era colocado de barriga para baixo ou de costas.

O TRATAMENTO DAS MÚMIAS REAIS

As múmias reais eram dotadas de um melhor tratamento do que as múmias de pessoas comuns. Era um costume submeter às múmias reais a um processo químico antes de enrolá-las em tecidos.

Essas mantas eram tão grossas que algumas chegavam a pesar mais de 100 quilos. Após esse processo, as múmias reais recebiam os adornos em ouro e joias e eram colocadas em templos e em locais estratégicos para sua preservação.

Além de ter sua própria corte, era colocada na múmia real uma máscara mortuária feita inteiramente de ouro e ricamente decorada. Alguns integrantes da alta nobreza também podiam ter uma, mas eram raras.

A superstição inca

Como em todos os tipos de culturas, a cultura inca não estava livre de sofrer com interjeições ou mesmo casos contraditórios. Você sabia que muitos dos incas, apesar do respeito e da veneração para com os mortos, tinham medo das múmias?

As múmias, ao mesmo tempo em que eram reverenciadas e recebiam tratamento especial, eram alvo de suspeitas de muitos da comunidade. O medo inca era direcionado às múmias recém-mortas que poderiam voltar-se contra os vivos.

Como medida preventiva, alguns parentes do morto espalhavam cinzas no chão das casas para que suas pegadas aparecessem caso ele retornasse para fazer algum mal.

A esses corpos eram creditadas também funções de oráculo, já que os mortos reais serviam de ligação e intermediário entre os homens e os deuses. As múmias eram consultadas sobre atitudes graves cometidas por sacerdotes, como se os seres tivessem alguma consciência sobre o que acontecia no plano terreno.

O HORROR ESPANHOL

Quando os colonizadores espanhóis chegaram ao Peru, em 1532, se depararam com uma civilização consolidada, com suas regras e valores já estabelecidos e imersos em uma complexa cultura.

No entanto, uma de suas primeiras medidas foi combater o culto aos antepassados e consequentemente às múmias de seus antepassados, tidas como huacas sagradas. Criaram com isso um grupo que fazia constantemente as chamadas "Visitas de Extirpación de Idolatrias".

Essas visitas tinham o único e claro propósito de queimar e destruir qualquer tipo de huaca que os incas venerassem com o intuito de fazer-lhes aceitar a religião católica. Os incas foram obrigados a retirar as múmias de seus primeiros imperadores do templo do Sol, o Coricancha, antes que fossem destruídas.

OS RITUAIS E A VIDA APÓS A MORTE

Outro gesto obsceno dos espanhóis para com a cultura inca foi a de presentear seus chefes militares e seus generais com as múmias de antigos imperadores incas como se fossem um belo souvenir indígena.

Historiadores descrevem o caso ocorrido com a múmia do imperador Pachacutec em 1559, que foi encontrada por Polo de Ondegardo e levada a Lima para ser presenteada ao vice-rei espanhol. O descaso era tamanho que a múmia posteriormente desapareceu e não foi mais localizada.

O escritor espanhol Garcilaso de la Veja relata ter encontrado na residência do corregedor cinco múmias de reis incas, convertidas em peças excêntricas do seu museu particular. É provável que o ouro arrecadado com as múmias tenha sido derretido.

A contradição de sentimentos diante das múmias é digno de registro. Se, por um lado, as múmias eram transportadas e circulavam por entre as casas simplesmente como peças alegóricas, para a satisfação da curiosidade dos espanhóis, por outro lado, os povos originários faziam reverências, choravam e lamentavam. Quando algum espanhol retirava o gorro em sinal de respeito, os indígenas se emocionavam e ficavam agradecidos.

Coricancha, o mais importante e sagrado templo inca

14

A CHEGADA DOS ESPANHÓIS

OS INCAS NÃO SABIAM DA EXISTÊNCIA DESSES SERES ESTRANHOS E COM PELO NO ROSTO

É preciso ter muita consciência do que foi a chegada dos espanhóis nas terras do "Novo Mundo" antes de tentar imaginar o cenário. Huayna Capác era o imperador na época, e nunca chegou a conhecer os espanhóis. Um dos mensageiros do império correu até uma das cidades mais ao norte, Quito, para informar o imperador dos seres estranhos.

Na descrição do mensageiro, é possível perceber que os espanhóis já estavam instalados em terra firme quando os incas tomaram conhecimento de sua presença. Foram descritos como homens brancos, de cabelos e barbas negras, e que trajavam chapéus e vestimentas de metal (típica armadura europeia) e andavam em cima de grandes bestas (cavalos) com armas desconhecidas.

A VERSÃO DOS ESPANHÓIS

Claro que esta é a descrição do primeiro contato que os espanhóis tiveram com um oficial inca. A versão dos espanhóis dessa história é um pouco diferente. Gananciosos em busca de ouro, os europeus viajaram por uma rota parecida com a de Hernan Cortéz, desbravador que entrou em contato com os astecas.

Com isso, Francisco Pizarro e sua trupe desembarcaram a princípio no Panamá, sem muito conhecimento da geografia local. A primeira expedição foi um fracasso total e os 80 homens que viajaram com eles sofreram com inúmeros ataques de insetos e animais selvagens.

Sabendo que terras mais ao sul podiam conter riquezas e que as mais ao norte já estavam sendo exploradas, organizaram-se em outra expedição e desceram de barco do Panamá até a Colômbia, pelo rio San Juan, e por uma série de incontáveis afluentes, até que chegaram ao território inca.

Àquela altura, apenas uma parte das forças de Pizarro ainda estava de pé, uma vez que sofriam com malária e desidratação causada pela diarreia. Possuíam pouca comida e mesmo quando encontravam algum chefe local, se abasteciam e saqueavam-no em busca de riquezas.

A LENDA DOS TRÊS ANÉIS

Durante uma bela noite de festejos na capital inca, Huayna Capác viu no céu a figura de três anéis que escapavam do reflexo da luz da lua. Intrigado e receoso, Huayna pediu ajuda a um de seus xamãs, que veio apressado atender ao chamado de seu imperador.

O xamã interpretou os anéis como um presságio de que o reinado de Huayna, bem como o império, estariam em maus lençóis. O primeiro anel, de cor avermelhada, indicava que uma guerra seria travada após o grande Sapa Inca retornar para os braços de seu pai Sol, no descanso eterno.

O segundo anel, de cor negra, significava a morte que viria para ele, para o império e para a religião e as leis incas.

E o terceiro e último anel, de cor cinza, significava a fumaça e a extinção de tudo que ele e seus ancestrais fizeram durante todas as eras que o império permaneceu, e que isso seria reduzido a pó.

Não por menos, o imperador mandou que o xamã se retirasse, incrédulo e nem um pouco temeroso pelas palavras que tinha ouvido, e que para o azar da civilização inca, eram todas verdades.

FRANCISCO PIZARRO, O DESBRAVADOR

Aqueles que acham que Francisco Pizarro descobriu a América do Sul por acaso, se enganam em muito. O conquistador espanhol já tinha um plano traçado para chegar às terras do novo mundo.

Inspirado por outro explorador que se tornou muito rico, de nome Hernan Cortéz, que alguns anos antes, em 1521, havia destruído a civilização asteca e pilhado suas cidades atrás de ouro e riquezas, Pizarro estava determinado a também se tornar um homem rico.

Motivado pela ganância e pela luxúria de uma vida de mordomias, o filho bastardo de um capitão do exército espanhol encontrou em seu parceiro de aventuras Diego de Almagro, o financiador que lhe faltava para desbravar terras novas.

Motivado por sua sede de poder, Pizarro deixou seu companheiro no Panamá e junto com uma trupe desceu até as terras que hoje são a Colômbia para encontrar índios que, de acordo com os relatos espanhóis, possuíam corpos ornados com pedras preciosas e vestes finas em algodão.

O primeiro encontro com os incas foi com 20 marinheiros que desciam em um barco por um rio afluente que passava próximo a um vilarejo inca. Tempos depois, Pizarro já estava em contato com os principais líderes do império.

Astuto, percebeu que a guerra civil seria uma excelente maneira de conseguir roubar tudo que os incas possuíam. Deixou que Huascar e Atahualpa se liquidassem e retornou alguns anos depois com Diego de Almagro e todo o seu pessoal para saquear o que restou do império inca, após a guerra dos dois herdeiros.

Aliadas à guerra civil, incontáveis doenças trazidas pelos europeus mataram muitos incas, deixando as forças imperiais reduzidas a quase nada. Com isso, os espanhóis levaram as mulheres incas para serem suas concubinas, abusando delas frequentemente.

Mataram inúmeros soldados incas e humilharam a religião do povo andino, utilizando suas huacas e múmias de antigos imperadores como troféus a serem expostos. Destruíram templos e saquearam tudo que puderam encontrar de valor.

É descrito na obra de A. S. Franchini, *As melhores histórias das mitologias asteca, maia e inca*, um exemplo da crueldade de Pizarro, quando este matou brutalmente a esposa de um dos imperadores incas, a qual fez de prostituta particular.

"Pizarro cometeu aquele que, certamente, foi o ato mais infame de toda a sua carreira de conquistador: mandou arrancar as roupas da irmã-esposa do inca, que estava em poder dos espanhóis, e amarrá-la a uma estaca. Depois, ordenou que alguns índios cañaris a chicoteassem, crivando-a em seguida de flechas", afirma o escritor em sua obra.

Pizarro nunca realmente ficou rico. Mandou matar Diego de Almagro em 1538, o que gerou uma vingança, que por sua vez resultou na sua morte. Pizarro foi morto em 1541, e por uma nefasta coincidência, no mesmo dia que assassinou o último imperador inca independente.

Estátua equestre do conquistador espanhol Francisco Pizarro

15
REVISITANDO O PASSADO

MACHU PICCHU É UM DOS 25 LUGARES
MAIS POPULARES DO MUNDO

Em janeiro de 2016 foram divulgados pelo *Ministerio de Comercio Exterior y Turismo* do Peru relatórios estatísticos que comprovam o crescimento do turismo peruano com a campanha *"Perú, imperio de tesoros escondidos"*, promovida pela então ministra do Turismo Peruano, Magali Silva Velarde-Álvarez.

O relatório mostra os números do ano anterior, 2015, que também foi o ano de lançamento da campanha. Segundo o relatório, chegaram ao Peru aproximadamente 3.157.997 de turistas internacionais.

O número apresentou uma alta de 7,8%, o que equivale a 272.924 pessoas, em relação ao ano anterior, 2014. Em franca ascensão, o país tem uma alta nos números de turistas estrangeiros que têm como destino as cidades históricas do Peru nos últimos anos. Dados divulgados pelo instituto de pesquisa *Observatorio Turístico del Perú*, em parceria com o *Ministerio de Cultura do Peru*, afirmam que um total de 1.282.515 turistas visitaram a cidade histórica de Machu Picchu.

Já segundo a Organização Mundial do Turismo (OMT), cerca de 62% das pessoas que ingressaram no país para realizarem atividades consideradas como turísticas, o fizeram por motivos de recreação ou férias familiares.

Ainda de acordo com o mesmo relatório, 99% dos turistas estrangeiros que visitam a cidade história de Cusco, que outrora foi capital do império inca, o fazem para pegar o transporte e o caminho rumo a Machu Picchu, enquanto apenas 47% fazem o tour pela cidade e 36% visitam seus museus.

A preocupação com a cidade histórica é tamanha, que em abril de 2016 o governo peruano concluiu seu plano de restauração das trilhas, muros e plataformas que levam até Machu Picchu, a fim de garantir a segurança e o conforto de todos os que se interessam pela cultura inca.

Em maio de 2016, Machu Picchu encabeçou a lista dos 25 lugares mais populares do mundo para se visitar. A lista faz parte do Trip Advisor's Travellers' Choice Awards 2016 e teve a votação de milhares de usuários do mundo todo inscritos no site.

Em 2022, o Peru concorre a seis categorias no World Travel Awards: cultura, turismo, gastronomia, sustentabilidade e promoção turística. Considerado o Oscar do turismo, World Travel Awards serve para reconhecer, recompensar e celebrar a excelência em todos os setores da indústria global de viagens e turismo.

OS TURISTAS BRASILEIROS

A taxa de brasileiros que vão para o Peru atrás da mitologia e do turismo histórico inca é incrivelmente baixa. Mesmo com uma média de crescimento de 14,16% ao ano, em análise feita do ano de 1992 até 2015, o fluxo de brasileiros no ano passado foi de apenas 142.989 mil pessoas.

Mesmo perdendo para o Chile, primeiro colocado com 906.789 visitantes, seguido pelos Estados Unidos da América com 492.102 mil visitantes, é esperado que a taxa de brasileiros visitantes cresça 3% até o final de 2016, atingindo 147.279 mil turistas.

MACHU PICCHU

Localizada a quase 2.500 metros de altitude entre os picos das duas montanhas, a cidade de Machu Picchu atrai um fluxo gigantesco de turistas durante todo o ano. Fundada em 1450 d.C. pelo imperador Pachacutec, esteve abandonada durante quatro séculos, sem um motivo aparente.

Sua população original era de aproximadamente mil pessoas, que se espalhavam pelas mais de 200 habitações que existiam na cidade. As residências de Machu Picchu possuíam telhados inclinados na forma de V invertido, com uma espessa cobertura feita com a erva andina Ichu.

Entre as diversas funções que a cidade teve durante o período inca, estavam a de fortaleza, santuário, mosteiro e local de repouso para as virgens do Sol, além de uma possível residência para a família real. Especialistas e estudiosos ainda não chegaram a um consenso de qual função era a mais indicada à cidade.

Sabe-se também que entre as funções cotidianas dos incas que moravam ali estavam o plantio e a agricultura, graças às amplas plataformas e terraços dispostos pela cidade, junto com o sistema de irrigação, esculpido diretamente na pedra, que captava a água da chuva e levava a esses terraços, onde acontecia a cultura do milho e da coca.

Segundo informações que constam no site do Ministério de Comércio Exterior e Turismo do Peru, antes da pandemia de Covid-19, a cidadela inca recebia no máximo 5.940 turistas por dia. Em 2020, atendendo à recomendação da Unesco, reduziu esse número para 2.244 pessoas. No entanto, sem descuidar das recomendações da

Unesco, o Ministério da Cultura elaborou um relatório técnico que propõe aumentar novamente a capacidade de admissão para 4.044 turistas por dia, em 2022.

OS BAIRROS DE MACHU PICCHU E AS CONSTRUÇÕES MAIS FAMOSAS

Embora só tenham restado os escombros do que um dia foi a cidade de Machu Picchu, suas ruínas deixaram muitas pistas para que arqueólogos e historiadores pudessem desvendar os mistérios desse povo.

Analisando as ruínas de Machu Picchu, foi possível saber a localização dos três bairros que dividiam a cidade. O Bairro Sagrado, O Bairro dos Sacerdotes e da Nobreza e o Bairro Popular. Confira algumas construções de Machu Picchu e o que elas representam.

Intihuatana – Significa em Quéchua "A pedra onde o Sol fica preso", e é formada por uma pirâmide de degraus, com um pequeno monólito no topo. Servia principalmente para que o imperador ou os sacerdotes pudessem falar com o povo, além de ser o centro das festas religiosas e eventos astronômicos.

O Templo das Três Janelas – Esse templo recebe esse nome por possuir exatamente três aberturas em formatos mais ou menos retangulares. Essas "janelas" ficavam na direção do Sol nascente e o templo servia como uma representação da caverna de Tamputoco, local de onde vieram os antepassados do imperador inca.

O Torreão - Possui um formato semelhante ao de torres medievais europeias, e era o "Templo do Sol" de Machu Picchu. Possuía a função de observatório astronômico e acreditava-se que a múmia de Pachacutec estaria repousando ali em outras épocas, nas criptas subterrâneas.

Escadaria das Fontes – Talhada na rocha, essa escadaria é famosa, pois ao longo da subida é possível vislumbrar 16 quedas d'água que serviam para refrigerar e irrigar as plantações.

Setor dos Pilões – Acredita-se que era nessa construção que ficava a escola das virgens do Sol, bem como sua moradia. Outros, graças a duas rochas circulares no seu interior, acreditam que este fosse o local onde se moíam os grãos da colheita.

Templo da Lua – Situado na encosta de Huayna Picchu, era o local sagrado onde se conservavam as múmias das figuras principais da cidade.

AS LINHAS DE NAZCA E SEUS MISTÉRIOS

O nome Nazca vem de uma das mais importantes civilizações pré-incaicas que já existiram. Situada na costa do Peru, era formada por uma confederação de tribos, que viam na metamorfose do homem algo para a adoração.

Cahuachi foi a capital nazca e, entre os anos 100 e 500 d.C., teve seu apogeu nas regiões desérticas e inóspitas daquela região. Seu maior legado foi um conjunto de figuras de dimensões colossais e traçados geométricos precisos, chamadas "Linhas de Nazca".

É preciso estar a 200 metros de altura para que seja possível enxergar os incríveis desenhos que já tinham levantado as suspeitas de alguns, como Pedro Cieza de León, que em seus registros feitos em 1547, descreve que algumas partes do deserto possuíam sinais.

No entanto, só foi confirmada a suspeita de Pedro Cieza já no século XX, quando alguns aviadores peruanos descobriram os desenhos do alto.

O clima árido do deserto e a ausência frequente de chuvas contribuem para que os desenhos se mantenham visíveis e conservados ao longo dos séculos até os dias de hoje.

Entre as diversas teorias sobre os desenhos, está a de que seriam de natureza astronômica, e que teriam alguma relação com o solstício e as constelações. No entanto, essa é uma das teorias mais incrédulas, uma vez que o povo nazca não possuía observatórios ou templos voltados a essa prática.

Outra teoria do provável uso dos desenhos seria para a utilização de recursos hídricos. Os desenhos seriam uma espécie de oferenda aos deuses para que estes trouxessem a chuva, muito necessária naquelas regiões desérticas.

Já uma teoria menos aceita, porém válida, seria a de que os desenhos seriam caminhos cerimoniais utilizados pelos sacerdotes na sua adoração aos deuses. Essa teoria foi formulada com base no tamanho das linhas. Algumas podem alcançar mais de 50 quilômetros em linha reta, sendo verdadeiras estradas.

OS INCAS HOJE

Não existem incas propriamente ditos hoje. Oficialmente a tribo desapareceu ainda no século XVI, no entanto, alguns indígenas ainda permanecem no Peru, e alegando serem descendentes dos incas, mantêm vivas as tradições e o dialeto quéchua, utilizado pelo povo andino.

Muitos dos índios haviam abandonado as terras altas para procurarem trabalhos nas grandes capitais do país. Outros ainda vivem do mesmo modo que a antiga civilização viveu, ou seja, da agricultura.

Há algumas décadas atrás a maior parte das famílias indígenas peruanas possuíam três terrenos, em três altitudes diferentes, podendo assim cultivar três tipos diferentes de produtos e ter colheita o ano todo.

No entanto, hoje, cada família pode ter somente um único terreno, fazendo com que a troca de colheitas entre as famílias seja frequente. Muitas associações ainda permanecem em atividade sustentando as tradições e os costumes da maior civilização dos Andes.

Ruínas da antiga cidade inca Machu Picchu

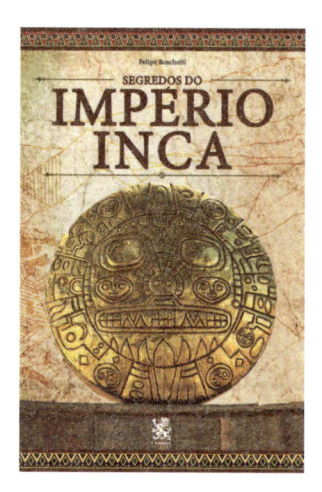

REFERÊNCIAS BIBLIOGRÁFICAS

Burger, Richard L. e Van Der Merwe, Nikolaas J. Maize and the Origin of Highland Chavín Civilization: An Isotopic Perspective. **American Anthropologist**. New Series, Vol. 92, No. 1 (Mar., 1990), pp. 85-95 (11 pages). Disponível em https://www.jstor.org/stable/i227547

Conrad, Geoffrey W. e Demarest, Arthur A. **Religion and empire: the dynamics of aztec and inca expansionism**. Cambridge, Reino Unido: Cambridge University Press, 1984

Cortez, Patrícia Temoche. **Breve história dos incas**. Rio de Janeiro: Editora Versal, 2013

De la Vega, Garcilaso. **The incas: royal commentaries**. Texas, Estados Unidos: University of Texas Press, 1987

Favre, Henri. **A civilização inca**. São Paulo: Editora Zahar, 1987

Franchini, A. S. **As melhores histórias das mitologias asteca, maia e inca**. Porto Alegre: Editora Artes e Ofícios, 2012

Malpass, Michael Andrew. **Daily life in the inca empire**. Indianápolis, Estados Unidos: Hackett Pub Co Inc, 2008

Molina, Cristóbal de. **The fables and rites of the incas**. Texas, Estados Unidos: University of Texas Press, 2011

Sommervill, Barbara A. **Empire of the inca**. Columbia, Estados Unidos: Facts on File, 2004

Yaya, Isabel. Hanan y Hurin: historia de un sistema estructural inca. **Bulletin de l'Institut français d'études andines**, 42 (2) | 2013, 173-202.